D0349948

NARUTO
masashi
kishimoto
16
Kana

PERSONNAGES PRINCIPAUX
SASUKE UCHIWA
NARUTO UZUMAKI
GAÏ
SAKURA HARUNO
EJI HYÛGA
OCK LEE
TENTEN
ITACHI UCHIWA
SHIKAMARU NARA
IBA
NUZUKA &
AKA-
MARU
HINATA HYÛGA
INO YAMANAKA
SHINO ABURAME
CHÔJI AKIMICHI

RÉSUMÉ DES ÉPISODES PRÉCÉDENTS

EN COMPAGNIE DE SASUKE ET DE SAKURA, NARUTO, LE PIRE GARNEMENT DE L'ÉCOLE DES NINJAS DU VILLAGE CACHÉ DE KONOHA, POURSUIT SON APPRENTISSAGE.
LORS DE L'EXAMEN DE SÉLECTION DES NINJAS DE "MOYENNE CLASSE", ILS SE FONT ATTAQUER DANS "LA FORÊT DE LA MORT", PAR UN MYSTÉRIEUX NINJA, NOMMÉ OROCHIMARU, QUI DÉPOSE UNE MARQUE MALÉFIQUE SUR LE CORPS DE SASUKE AVANT DE DISPARAÎTRE.

NARUTO ET SASUKE, QUI SE SONT IMPOSÉS DANS LES PHASES QUALIFICATIVES DE LA TROISIÈME ÉPREUVE, AVANCENT VERS LA FINALE.
ALORS QUE LE COMBAT ENTRE SASUKE ET GAARA FAIT RAGE, OROCHIMARU, SOUS LES TRAITS DE KAZEKAGE, ENLÈVE MAÎTRE HOKAGE ET S'ENFERME AVEC LUI À L'INTÉRIEUR D'UNE BARRIÈRE MAGIQUE INFRANCHISSABLE.
LE PLAN DIABOLIQUE D'OROCHIMARU ET DE SES SBIRES VISANT LA DESTRUCTION DÉFINITIVE DE KONOHA A COMMENCÉ !!

NARUTO ET SES COMPAGNONS SE LANCENT À LA POURSUITE DE GAARA ET DE SASUKE QUI ONT DISPARU PENDANT LA BATAILLE.
RATTRAPÉ, GAARA ENTAME, DANS LA FORÊT, UNE EFFROYABLE MÉTAMORPHOSE. POUR SAUVER SASUKE ET SAKURA À BOUT DE FORCES, NARUTO S'ENGAGE DANS LE COMBAT AVEC UNE DÉTERMINATION FAROUCHE !!

sommaire

136e épisode : LE COUP DE GRÂCE...!!

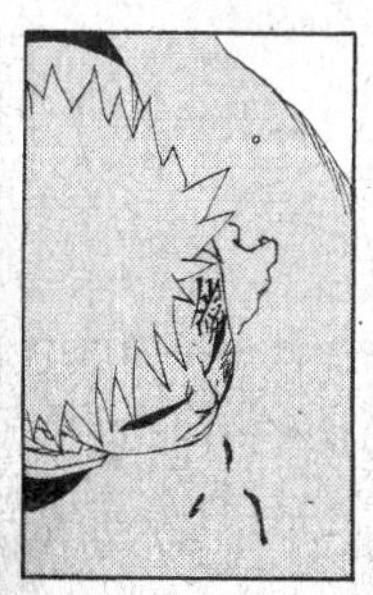

LE SPECTRE DE GAARA VENAIT TOUT JUSTE DE LANCER LE SORT. ESPÉRONS QUE CE CROCHET AURA SUFFI À LE RÉVEILLER...
BIEN ! EXCELLENT !!!
!
!!
IL A INTERROMPU LE SORTILÈGE ?!
HUNG!!!
KZUM
NON ! PAS MAINTENANT ! J'Y ÉTAIS ENFIN PARVENU !!
MALEDICTION!!!
HNG... NOUS AVONS PEUT-ÊTRE RÉUSSI À BRISER "LE SOMMEIL DU TANUKI", MAIS NOUS NE SOMMES PAS TIRÉS D'AFFAIRE POUR AUTANT !
OOOP
GNNN
ZUM

J'AI SUR LUI UN AVANTAGE INCONTES-TABLE !!!
IL NE PEUT PAS SUIVRE LA VITESSE DE MES MOUVE-MENTS.
GWOOSH
tchak

STING
JE DOIS L'OBSERVER ATTENTIVEMENT ET DÈS QUE J'AURAI TROUVÉ L'OUVERTURE...
JE L'ATTAQUE DANS LE DOS AVEC "LA DANSE DU CHIEN".
STING

INUTILE S'AFFOLE
SI JE GARDE LA TÊTE FROIDE, JE SORS VAINQUEUR DE CETTE RENCONTRE À COUP SÛR.

ON DIRAIT QU'IL SE CONCENTRE.
MAINTENANT... QUE VA FAIRE NARUTO ?

TU NE PLAISANTES PLUS KIBA, ON DIRAIT...

PASH
DANS CE CAS, JE VAI UTILISER M NOUVELLE TECHNIQUE "LA MORT SUBITE !"
L'ÉPILOGUE EST PROCHE !

...! HEIN ?
LA MORT SUBITE ?!!
HEIN ?
QUAND L'A-T-IL MISE AU POINT ?
?
UNE ECHNIQUE ECRÈTE ? A PLUS UN TOUR ANS SON SAC !
JE ME MOQUE BIEN DE TA TECHNIQUE !!!
JE NE TE LAISSERAI PAS LE TEMPS D'AGIR !!
!
Fwiiish
パシュ
Fwiiish
パシュ
Fwuushh
パシュ
パシュ
パシュ
Fwiiish
パシュ
Fwiiish
Fwiiish

QUELLE VITESSE D'EXÉCUTION ! JE N'AI PAS PU SUIVRE DU REGARD LES SIGNES DE SES MAINS...

CES SHURIKEN DANS SA MAIN DROITE N'ÉTAIENT QU'UNE DIVERSION POUR ME PORTER UNE ATTAQUE SUITON VENANT DU DESSOUS ...

バサァァ
SPLAAAASH

VOUS MANIEZ CETTE PUPILLE AVEC UNE GRANDE DEXTÉRITÉ...

!!
... MAÎTRE KAKASHI.
TCHAK!!!

C'EST UN CLONE ?

C'ÉTAIT TROP RAPIDE... JE N'AI PAS PU SUIVRE ...!!

...

FWOOSSH
バシャッ…

UN CLONE AQUEUX ?!!!
AINSI, LE NINJA COPIEUR A ACQUIS UNE TELLE MAÎTRISE DES TECHNIQUES DE MON PAYS...

!
BWO
ズッ

BIEN JOUÉ, KAKASHI !!!

METS-TOI À L'ABRI, KURENAI !!

C'EST CELUI-CI, LE CLONE AQUEUX !
バシャ!
PLASH !

HEIN ?!

!
KRRRSHHH
STAP
TSSS!!!
YAAAAAH!!!
WOOM

CHOMPF
!
VRRR...
!!
WOOOOOO
POPA!!!

!!
VRULL
SBAMK
C'EST... C'EST LA LANGUE DU BOSS ...!
À COUPS DE LANGUE ? IL SE MOQUE DE MOI ?
FWP
!!

WOO WOO
WOOP

HUNG !

URGH...

SBRAAAM

UGH!!!
QUELLE FORCE PHÉNOMÉNALE ! JE NE SAIS PAS COMBIEN DE TEMPS JE POURRAI ENCORE RÉSISTER À SA CHARGE !
SLURP

LA SITUATION DEVIENT TRÈS PRÉOCCUPANTE.
NARUTO ET MOI AVONS ÉPUISÉ TOUT NOTRE CHAKRA !!!!
HAA...

...
HAA...
HH...

KRRRSSHHH
CRACK !!!
CRAAACK!!!

!
SAKURA!!!

CRAAACK!!
WOOO
WOOO

JE VAIS TE TUER...
... ET JE CONTI-NUERAI D'EXISTER... ENCORE ET TOUJOURS ...

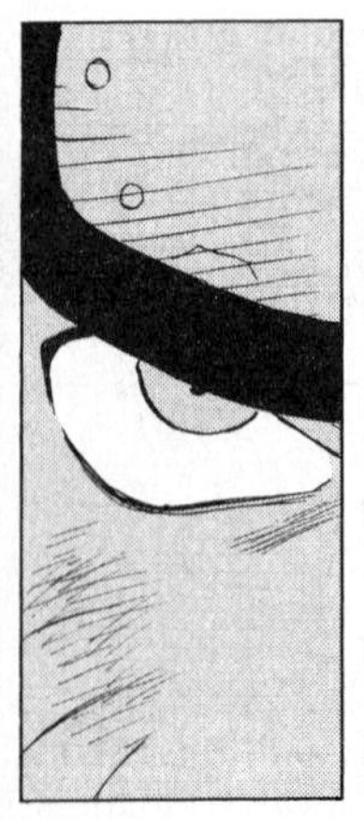

IL FAUT ABSOLUMENT SE DÉBARRASSER DU DÉMON TANUKI...

JE T'EN SUPPLIE...
IL NE M'EN FAUT QU'UN TOUT PETIT PEU...
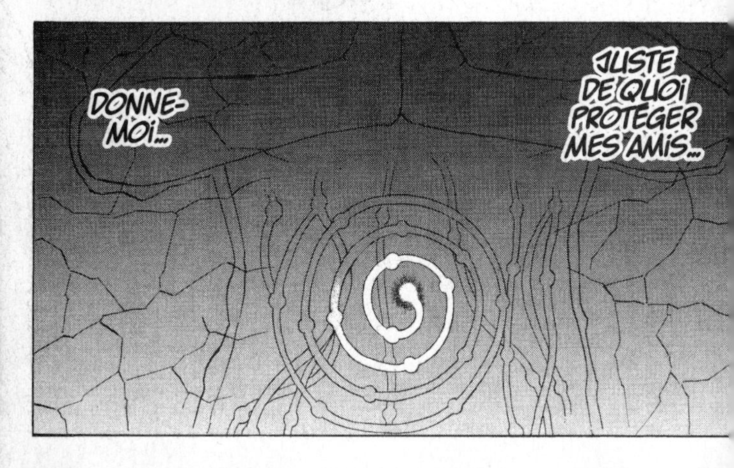
JUSTE DE QUOI PROTÉGER MES AMIS...
DONNE-MOI...

... TON CHAKRA !!!!

OUOOOOOOOOH!!!

SLAP

PACK

ジュウウ
PASH

ZUP
MEUUUURS!!!
C'EST PARTI, TANUKI DE MALHEUR !!!
DASH
STAP
CHOPE
!
ENFOIRE!!

PRENDS ÇA !!!
SBONK

BLITCH!!!

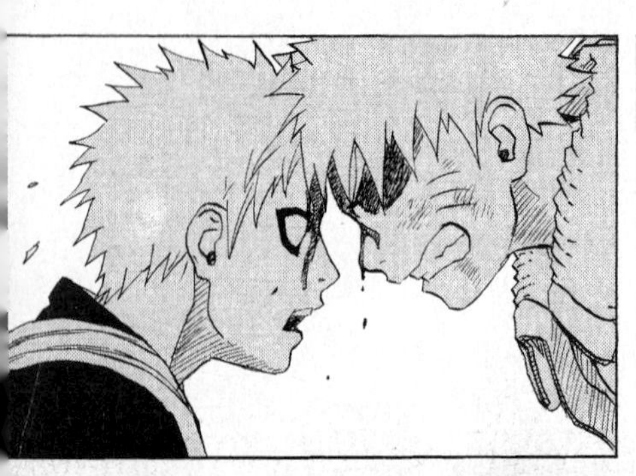

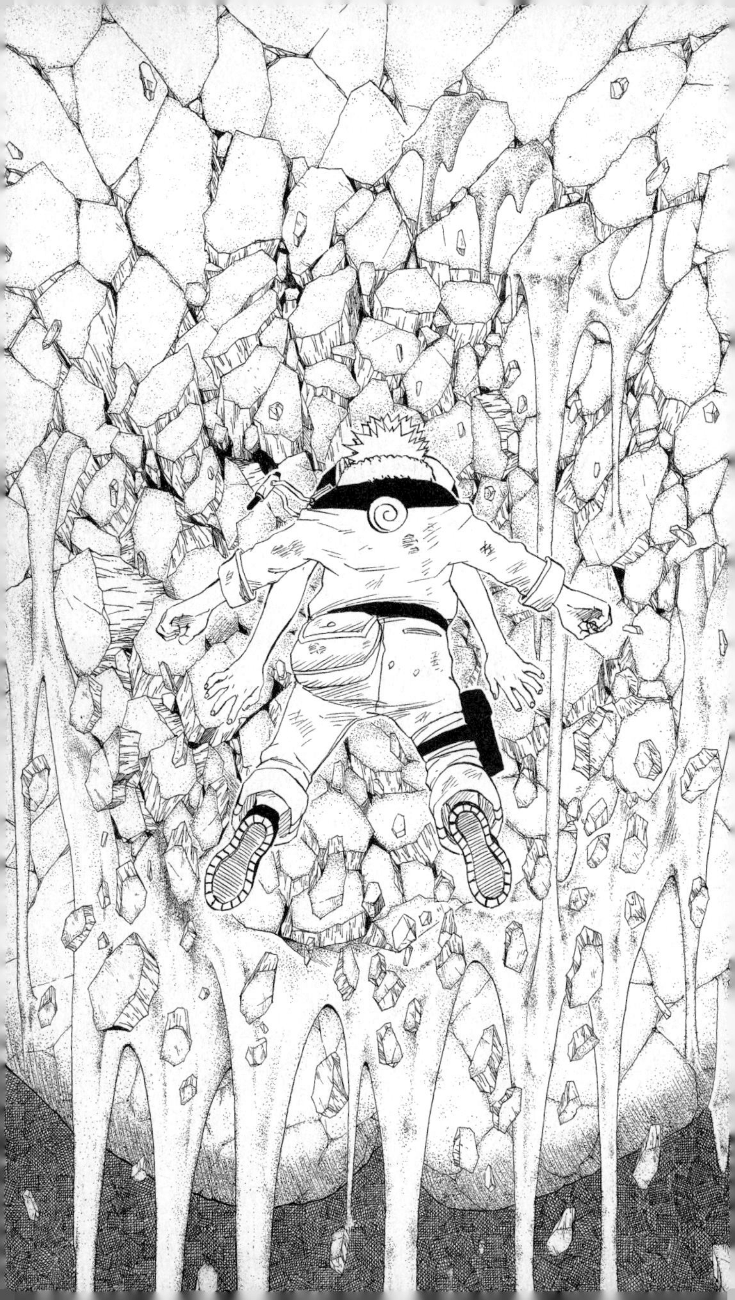

FFFFFFF...

...!
IL A GAGNÉ ?!

IL LUI A MIS... UN SIMPLE COUP DE TÊTE...

SES TECHNIQUES DE COMBAT SONT DÉCIDÉMENT UN PEU FRUSTES. EN REVANCHE, IL A ÉTÉ CAPABLE DE PRODUIRE UNE QUANTITÉ DE CHAKRA EXCEPTIONNELLE DANS UNE SITUATION AUSSI DÉSESPÉRÉE !

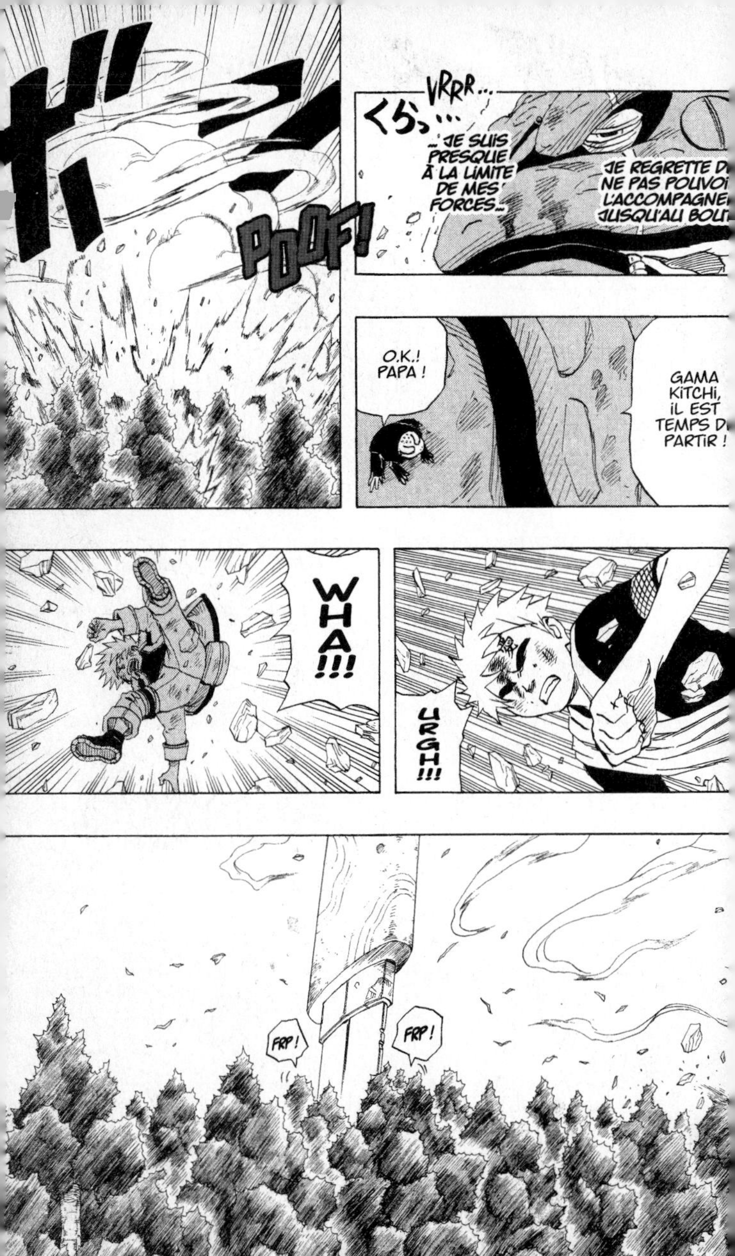
VRRR...
くらっ...
... JE SUIS PRESQUE À LA LIMITE DE MES FORCES...
JE REGRETTE D
NE PAS POUVOI
L'ACCOMPAGNE
JUSQU'AU BOU
GAMA KITCHI, IL EST TEMPS D PARTIR !
O.K.! PAPA !
POOF!
URGH!!!
WHA!!!
FRP!
FRP!

HAA...
HH...
HAA...
HAA...
HAA...
HH...

EH BIEN... JE SUIS COMPLÈTEMENT VIDÉ...
... TOI AUSSI, APPAREM-MENT...!
JE N'AI QUE DE QUOI PORTER UN DERNIER COUP...

... ET C'EST VRAISEM-BLABLEMENT LA MÊME CHOSE POUR TOI...
QUE CETTE ATTAQUE SOIT LA DERNIÈRE !!!!

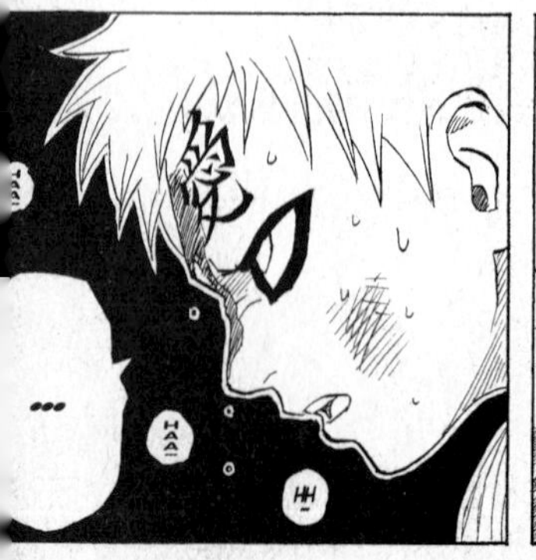
...
HAA...
HH...

NOUS SOUPÇONNIONS LES NINJAS DU VILLAGE DU SON... MAIS QUI AURAIT CRU QUE LES NINJAS SUPÉRIEURS DU VILLAGE DU SABLE EN PERSONNE SE JOINDRAIENT À EUX ?

CECI NE PEUT SIGNIFIER QU'UNE SEULE CHOSE POUR KONOHA...
NOUS SOMMES EN GUERRE...

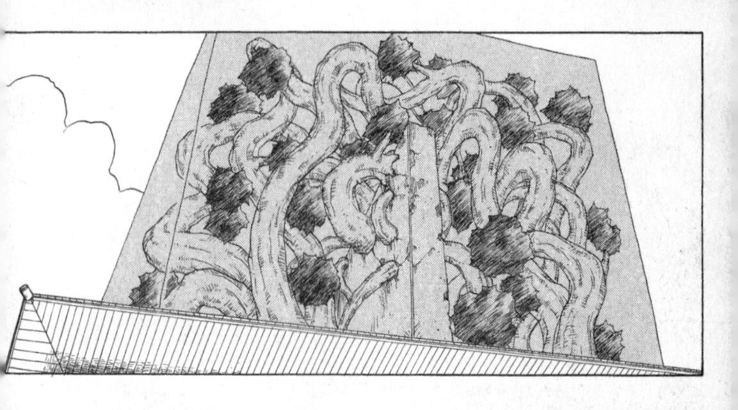

C'EST LONG...

UNE HEURE DÉJÀ... NORMALEMENT, UN DUEL DE NINJAS NE DURE PAS AUSSI LONGTEMPS... QUE SE PASSE-T-IL DONC À L'INTÉRIEUR ?!

HAA
APPAREMMENT...
... JE N'AI PAS LA FORCE SUFFISANTE POUR ARRACHER ENTIÈREMENT TON ÂME À SON ENVELOPPE !
HAA

HAA
HAA
N'EST-CE PAS ? MAIS QUAND ALLEZ-VOUS VOUS DÉCIDER À MOURIR...
... MAITRE SARUTOBI ?

ZLASH...

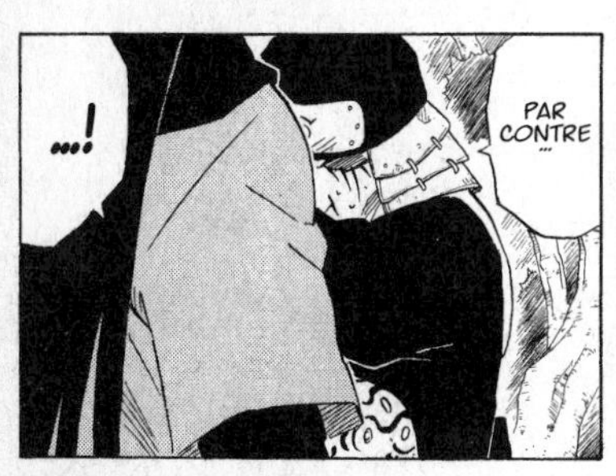
PAR CONTRE...
...!

HH...
HH...
... C'EN EST FINI...
... DE TES DESSEINS MALÉFIQUES !!!

LE PETIT MONDE DE MASASHI KISHIMOTO
PARCOURS 23

EN DEUXIÈME ANNÉE DE FAC, J'ÉTAIS FERMEMENT DÉCIDÉ À PARTICIPER À UN CONCOURS DE SHONEN MANGA LANCÉ PAR UN MAGAZINE.
J'AI COMMENCÉ MA RÉFLEXION EN ÉTANT HYPERMOTIVÉ. QU'ALLAIS-JE DONC POUVOIR DESSINER ? COMME DE COUTUME, AU MOMENT DE PRENDRE LE CRAYON, JE ME SUIS RETROUVÉ "EN PLEINE IMPASSE".
J'AVAIS POSÉ DES BASES TROP LARGES À MON SCÉNARIO ET JE N'ARRIVAIS PAS À RÉDUIRE LE NOMBRE DE PAGES (LIMITÉ POUR LE CONCOURS).
L'ÉCUEIL DANS LEQUEL LES DÉBUTANTS ONT TENDANCE À TOMBER, C'EST DE SE LAISSER EMPORTER PAR LEUR ENTHOUSIASME ET DE VOULOIR TROP EN FAIRE. ILS SONT INSATIABLES, ILS VEULENT ABSOLUMENT RÉUNIR TOUTES LEURS IDÉES DANS UNE SEULE PRODUCTION. BIEN ÉVIDEMMENT, C'ÉTAIT MON CAS AUSSI !
À LA FIN, MON HISTOIRE N'AVAIT NI QUEUE NI TÊTE. LES PERSONNAGES ÉTAIENT BEAUCOUP TROP NOMBREUX ET AUCUN NE RESSORTAIT VRAIMENT. EN FAIT, IL N'Y AVAIT PAS DE PERSONNAGE PRINCIPAL.

DEVANT UN TEL NAUFRAGE, IL A BIEN FALLU QUE JE ME PERSUADE QU'IL S'AGISSAIT D'UNE NOUVELLE COURTE. PEU À PEU, JE RÉUSSISSAIS À ME CONVAINCRE QU'EN ÉLIMINANT TOUS LES ÉLÉMENTS SUPERFLUS ET EN RÉDUISANT LE NOMBRE DE PERSONNAGES, JE PARVIENDRAIS À FAIRE TENIR MON HISTOIRE DANS LES LIMITES IMPOSÉES. LE MOMENT ÉTAIT VENU DE REMETTRE L'OUVRAGE SUR LA TABLE À DESSIN !

FONDAMENTALEMENT, L'HISTOIRE EN ELLE-MÊME N'AVAIT PAS CHANGÉ ET LES QUELQUES DIFFICULTÉS APPARUES FURENT VITE SURMONTÉES.
SIMPLEMENT, LE SCÉNARIO AVAIT CHANGÉ D'ÉCHELLE. MÊME SI L'HISTOIRE GÉNÉRALE ET LES POUVOIRS DES HÉROS CONSERVAIENT UNE ENVERGURE PLANÉTAIRE, L'ACTION QUANT À ELLE, S'ÉTAIT CONCENTRÉE SUR LES PRÉOCCUPATIONS D'UN SIMPLE CITOYEN.

DEMANDER UNE BONNE B.D. EN SI PEU DE PAGES À UN DÉBUTANT, C'EST COMME LUI CONFIER LA TÂCHE DE PRODUIRE UN FILM DE S.F. AMBITIEUX AVEC UN BUDGET RIDICULE, IL Y A FORCÉMENT DES IMPAIRS, DES ASPECTS PLUS OU MOINS RÉUSSIS ET UN MANQUE D'ÉQUILIBRE, PAR-DESSUS TOUT.
QUOI QU'IL EN SOIT, JE VISAIS LE PREMIER PRIX WEEKLY SHONEN JUMP HOPE STEP !!! (ET PAS DU TOUT LES 500 000 YENS DE RÉCOMPENSE, MAIS NON, QU'ALLEZ-VOUS IMAGINER ?)

LE TITRE DE MON MANGA ÉTAIT "KARAKURI" ("MÉCANIQUE"), NOM COMMUN QUI SERT ÉGALEMENT À DÉSIGNER LES ROBOTS DE FORME HUMANOÏDE.
J'AI TOUJOURS PENSÉ QUE SAVOIR CHOISIR UN TITRE ÉTAIT TRÈS IMPORTANT, ET AU LIEU D'UN ANGLICISME DU GENRE "CYBORG", JE ME SUIS DÉCIDÉ POUR LE TRÈS JAPONAIS "KARAKURI".

137 épisode :

LES SHINOBIS DE KONOHA...!!

GNUD

WOSH
ズズッ

C'EN EST FINI DE MES DESSEINS ?
VOUS ÊTES BIEN PRÉSOMPTUEUX...

ズズッ
ZLASH
HUNG !!
. POUR UN HOMME DANS VOTRE POSTURE ...

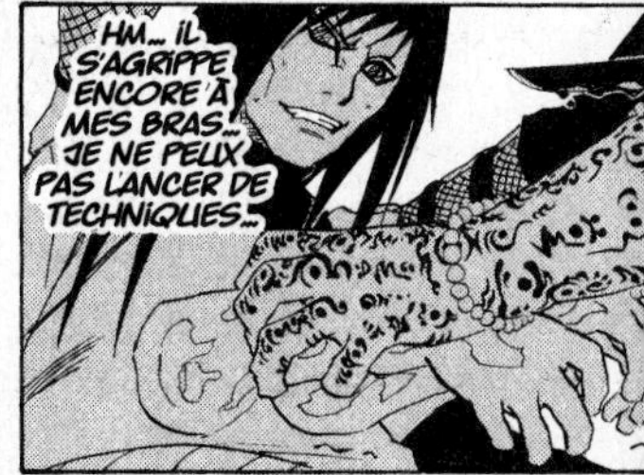
HM... IL S'AGRIPPE ENCORE À MES BRAS... JE NE PEUX PAS LANCER DE TECHNIQUES...

ÇA SUFFIT. LÂCHEZ-MOI, MAINTENANT !!!
SHROK !

UUURGH !!
JAMAIS, JE NE RENONCERAI À MES AMBITIONS !!!
VOUS ALLEZ MOURIR ICI !!
HUNG... PLUS JAMAIS TU NE SERAS UNE MENACE POUR LE VILLAGE ...!

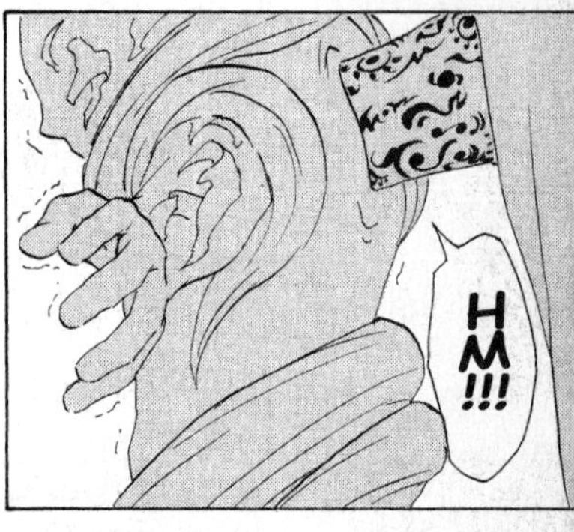
HM!!!

HAA...
HAA...
HUNG...
VIEILLARD SÉNILE ! QUE POUVEZ-VOUS ENCORE FAIRE POUR KONOHA ?
EGARDEZ A RÉALITÉ EN FACE...

HAA
MES HOMMES
... ET CEUX DU VILLAGE CACHÉ DU SABLE ONT ENVAHI KONOHA.
HAA

MÊME LES FEMMES ET LES ENFANTS SERONT MASSACRÉS...
H H
... ET BIENTÔ IL NE RESTER PLUS UN SEL VILLAGEOIS VIVANT !

KONOHA EST SUR LE POINT DE TOMBER !
H H
H H

...

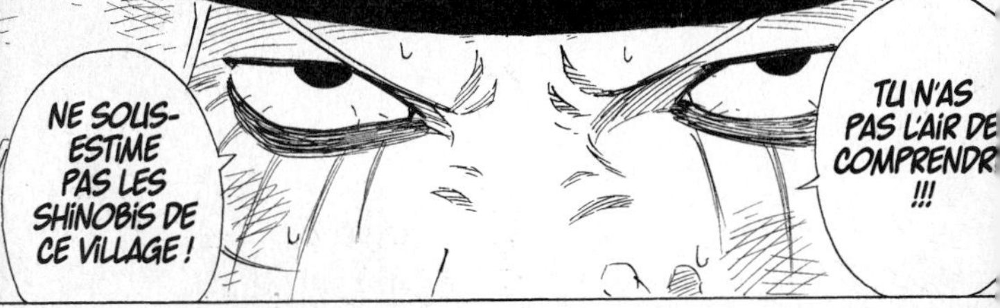
TU N'AS PAS L'AIR DE COMPRENDR !!!
NE SOUS-ESTIME PAS LES SHINOBIS DE CE VILLAGE !

HAA...
HAA...
HAA...
ジッ
SHRRR..
ジッ
SHRRR..
ボン
POOOF

KAMINARIMON

TA MORT
NE RESTERA
PAS IMPUNIE,
J'EN FAIS LE
SERMENT.

ZP !

ALLONS-Y !
OUI !!

AGE MISONO
TAÏGA
RI UMEBOSHI
JINA
YATE GEKKO
STAP
STAP
ザッ ザッ ザッ ザッ ザ
STAP
STAP
STAP

GWAAAAH !!!
ドドドドドドドドドドドドン
BOM BOM BOM BOM BOM BOM BOM BOM BOM BOM BOM BOM
LE CLAN HYÛGA EST LE PLUS FORT DE TOUS CEUX DE KONOHA...
... SOUVENEZ-VOUS-EN !
BAIKA !! TECHNIQUE DE DÉCUPLEMENT !!
FWAP
WHAAAAA !!!
GYAAAAH !!!

MES MEMBRES !... ILS NE...

BRRP...
BRRP.

LA "PRISE DES OMBRES" A L'AIR DE VOUS ÉTONNER...
C'EST LA PREMIÈRE FOIS QUE VOUS Y ÊTES CONFRONTÉS ? C'EST UNE TECHNIQUE SPÉCIFIQUE DE KONOHA...
ZP !

... POURTANT, CE N'EST QU'UN DÉBUT...
... LA PREMIÈRE ÉTAPE DE "L'ÉTREINTE MORTELLE DE L'OMBRE"... JE VOUS EN PRIE, DÉGUSTEZ !!!
WOOOOO !!!

SHIN-RANSHIN !! LA GRANDE CONFUSION !!!
FWAP

HGN... ARRÊTE !!!
QU'EST-CE QUI TE PREND ?!!
MON CORPS... IL NE M'OBÉIT PLUS...!!

ÇA ME RAPPELLE LE BON VIEUX TEMPS !
UGYAAAAAH!!!
LE TRIO INO, SHIKA, CHÔ, ENFIN RÉUNI !!
ZUP

* LES PATRONYMES SHIKAMARU ET CHÔJI SONT ABRÉGÉS.
"INO-SHIKA-CHO" EST ÉGALEMENT UNE COMBINAISON GAGNANTE AU JEU DE CARTES TRADITIONNEL HANAFUDA.

...!

ALLEZ, KUROMARU !!!
WOUF

POUR PROTÉGER CEUX QU'ILS CHÉRISSENT, LES SHINOBIS DE KONOHA...
HH...
... N'HÉSITERONT PAS À SE BATTRE JUSQU'À LEUR DERNIER SOUFFLE !!!
HH...

...!

LA SEULE VRAIE FORCE EN CE MONDE...
... NE VIENDRA JAMAIS DES TECHNIQUES DE NINJUTSU, SI POUSSÉES SOIENT-ELLES...

... JE TE L'AI POURTANT ENSEIGNÉ AUTREFOIS.
...

...

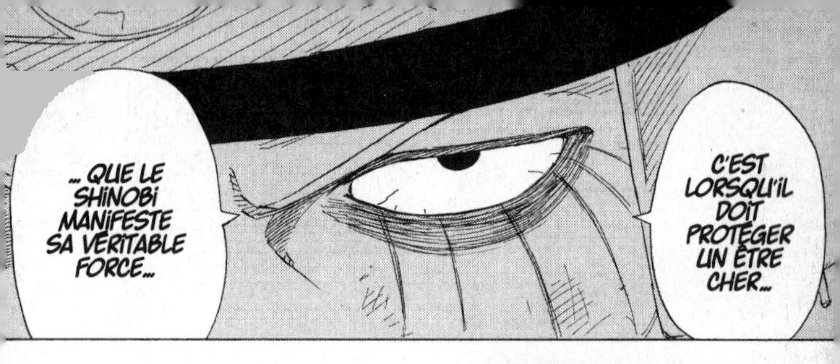
C'EST LORSQU'IL DOIT PROTÉGER UN ÊTRE CHER...
... QUE LE SHINOBI MANIFESTE SA VÉRITABLE FORCE...

... VOUS M'ENNUYEZ ...

SOIT... À QUOI BON, TU AS RAISON...
TOI QUI NE URES QUE PAR ES TECHNIQUES, LES SORTS...
DE TOUTE FAÇON, JE N'AI PLUS ENVIE DE TE PARDONNER !!!
... JE VAIS T'INFLIGER UN CHÂTIMENT APPROPRIÉ...

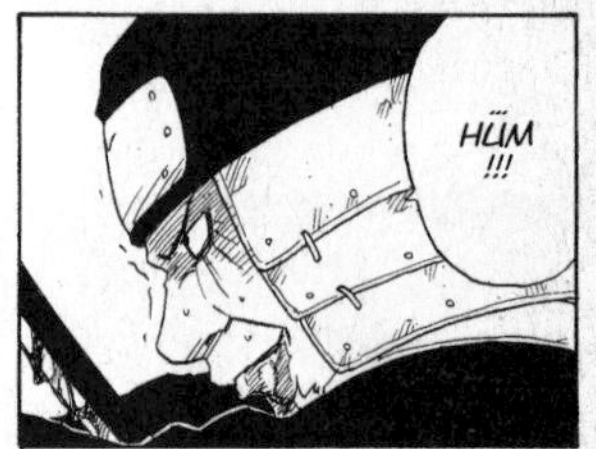
... HUM !!!

!
... JE VAIS TE PRIVER DE TOUT TON SAVOIR...

!
QUEL DÉLIRE !!!

GWUOOOOOOH !!!
SVROOOTCH !
GNNN
ARRETEZ !!!
ZUP
NON, PAS ÇA !!
FUIN ! QUE LE SCEAU SOIT POSE !!!!

FLASH

HUNG!!!
MES BRAS... ILS NE BOUGENT PLUS...

DÉSORMAIS, TU EN AS PERDU L'USAGE...
... TU NE POURRAS PLUS FAIRE DE SIGNES INCANTATOIRES.
HAA
HAA
HAA

TON NINJUTSU EST RÉDUIT À NÉANT !!!
PSHOOM!!!

HAA
HAA
HAA
HAA
VRRR...
VRRR...

TA TENTATIVE DE DESTRUCTION DE KONOHA A ÉCHOUÉ...
ZWOOO!!!

MAUDIT VIEILLARD ! RENDEZ-MOI MES BRAS !!!!

QUEL IDIOT TU ES, OROCHIMARU !!!
JE REGRETTE AMÈREMENT DE NE PAS T'EMPORTER AVEC MOI DANS LA MORT.

... MAIS NOUS NOUS RETROUVERONS DANS L'AU-DELÀ, MON DISCIPLE. TÔT OU TARD...

ZWOOOSH !

CE VIEUX FOU...

... COMMENT DIABLE A-T-IL PU CONTRER MES TECHNIQUES DANS UNE SITUATION SI PRÉCAIRE...?!!

LÀ OÙ LES FEUILLES DES ARBRES VOLENT, LA FLAMME EST VIVE DANS L'ÂTRE...

SES ROUGEOIEMENTS RÉCHAUFFENT LE FOYER...

... EN L'ATTENTE DU BOURGEON NOUVEAU...

138e ÉPISODE :
LA BATAILLE DE KONOHA, DERNIER ACTE...!!

FRUSH
FROOOSH!!!
FROOSH FROOSH !!!
SBON
COMMENT... COMMENT EST-CE POSSIBLE ?
(HAA...)
(HAA...)
(HAA...)
(HAA)

FWP!
...!!
POUR...

CE MAUDIT VIEILLARD...
HAA
HAA
IL PART, UN SOURIRE AUX LÈVRES !!!!
DOBAM
SARUTOBI !!!
JE DOIS AU MOINS SAUVER L'ÉPÉE...!
ZIAAASH
SBUP !
HOKAGE, LE 3E
TU AS MARCHÉ TRÈS LOIN SUR LA VOIE DU SHINOBI...
... VOILÀ UNE FIN BIEN DIGNE DE TOI...

UUURGH!!!
MES BRAS SONT EN FEU...
MAîTRE OROCHI-MARU !!!!
HUNG... LES OPÉRA-TIONS SONT INTER-ROM-PUES...
DÉSACTIVEZ LA BARRIÈRE DE FEU...
NOUS RENTRONS...
HEIN ?!

BWOOOF
!
!
...
!
STAP
STAP
ALLONS-Y !!
VOUS NE VOUS ENFUIREZ PAS !!
FWOSH
STAP !

ZUP
NINPÔ...
FWOP
KUMO SHIBARI LA TOILE D'ARAIGN
!!!
!
!
HUNG !!!
LES SOIES VISQUEUSES DE CETTE TOILE SONT PARCOURUES PAR UN FLUX DE CHAKRA !
FLAP

SBOM
KAKASHI ! ILS QUITTENT LES LIEUX !
NOUS LES PRENONS EN CHASSE ?!
NON, ATTENDS, GAÏ !

OUI, C'EST PLUS PRUDENT. FONCER TÊTE BAISSÉE, SANS AVOIR AUCUNE INFORMATION SUR CE QUI SE PASSE LÀ-HAUT...
... C'EST PRENDRE LE RISQUE DE TOMBER DANS UN PIÈGE.

NOUS SAVONS PARFAITEMENT TOUT CELA !
MAIS PIÈGE OU PAS, ON NE PEUT PERDRE L'ENNEMI DE VUE DANS UN MOMENT PAREIL... C'EST COMME ÇA QUE RAISONNENT LES NINJAS DE KONOHA, DU MOINS...

ALORS...
ET TOI, TU N'ES LÀ QU'EN SIMPLE SPECTATEUR ...
...KABUTO...?

FLIP !!!

JE SUIS DÉCOUVERT, SEMBLE-T-IL...

HÉ...
... QUE FAIT-ON ?
JE PROPOSE DE NOUS RETIRER...
TU FUIS DEVANT MOI À NOUVEAU ?
OUI, POUR L'INSTANT.
SI JE DÉVOILE STUPIDEMENT MON JEU ICI, TOUT CE QUE J'Y GAGNERAI, C'EST D'ÊTRE INSTANTANÉMENT COPIÉ...

... MÊME SI VOUS NE MAÎTRISEZ PAS CETTE PUPILLE AUSSI PARFAITEMENT QUE LES MEMBRES DU CLAN UCHIWA...
...

SUR CE...
PFFF
ドロン

...

TEMARI !!

!

HAA
HAA
HAA
KANKURO !!!

FFFFFF
FFFFFFFH !!

グラッ
BLOM

GATCH
バシィ

STAP !
HUNG...

HAA...
HAA...

JE TE CONFIE SAKURA...
HAA...
HAA...

FWOSH
HE!!!

...
HAA
HAA
HAA
HAA
HAA
HAA
KLUM
NON, JE NE CESSERAI PAS D'EXISTER !!!!
JE NE PEUX PAS DISPARAÎTRE !!!!
JE NE CESSERAI PAS D'EXISTER...

IL A MAUVAISE HALEINE...

POUAH ! IL EMPESTE !!!!

AH ! IL EST LÀ, LUI ?

TU SAVAIS QU'IL N'A PAS DE FAMILLE...?

ENCORE CETTE CHOSE ?

DISPARAIS !

MONSTRE

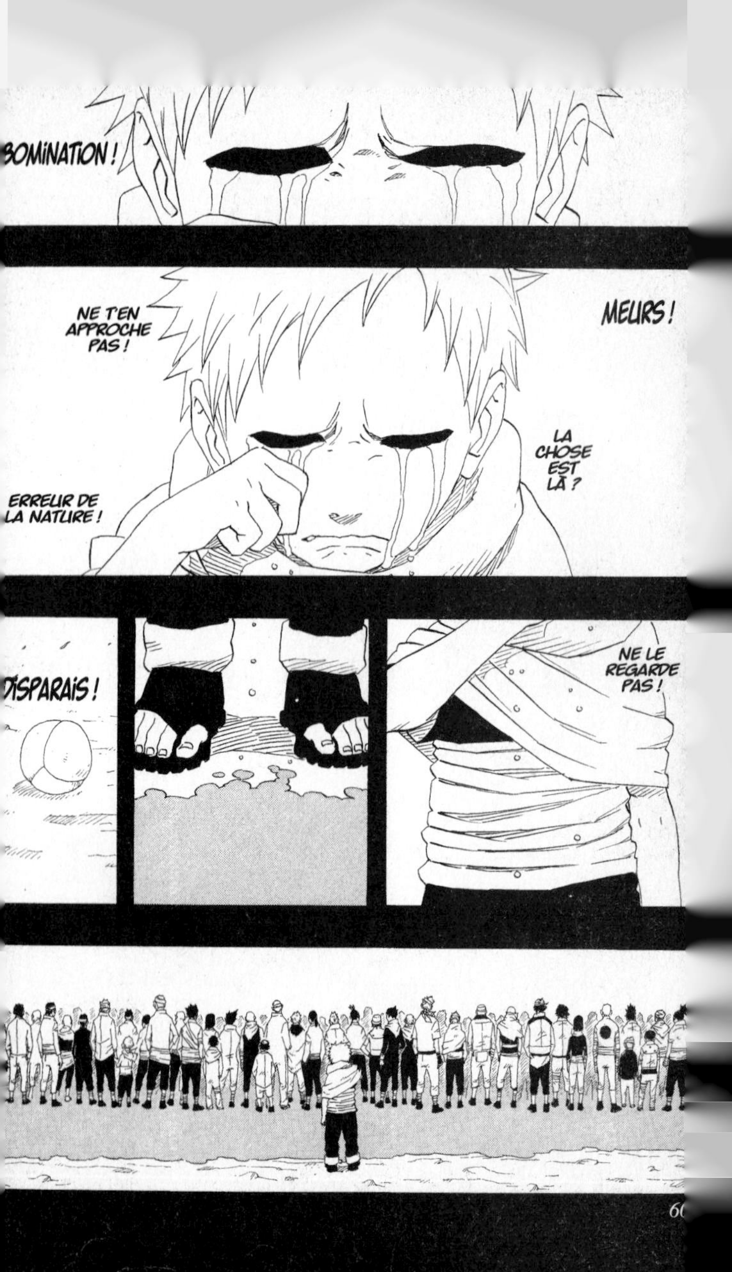
BOMINATION !
MEURS !
LA CHOSE EST LÀ ?
NE T'EN APPROCHE PAS !
ERREUR DE LA NATURE !
NE LE REGARDE PAS !
ISPARAIS !

JEUNE, JE ME SUIS DEMANDÉ POURQUOI J'EXISTAIS.
ZZZ SHHHP
JE ME SUIS RETROUVÉ COMPLÈTEMENT SEUL... ET JE N'AI PAS EU LE CHOIX...
IL N'Y A RIEN DE PLUS TERRIBLE...
HUNG...
KRSH ZZZ
HAA...
HAA...
... ABSOLUMENT PERSONNE N'A BESOIN DE TOI...
ZZ SHRP...
NE... NE T'APPROCHE PAS !!
GLOUPS
HGN...
ZZ SHHHP

LA SOLITUDE ET LA SOUFFRANCE QU'ELLE APPORTE ...
... LE SENTIMENT D'ÊTRE INCOMPLET...
... JE SAIS CE QUE TU RESSENS AU POINT D'EN AVOIR MAL MOI-MÊME...

HAA...
HAA...
MAIS TU VOIS... J'AI RENCONTRÉ DES GENS QUI SONT DEVENUS TRÈS IMPORTANTS POUR MOI...
... LES VOIR SOUFFRIR... C'EST LA DERNIÈRE CHOSE QUE JE SOUHAITE...
HAA...
...
HAA...
JE T'EMPÊCHERAI DE LEUR FAIRE DU MAL...
HAA...
... MÊME SI JE DOIS TE TUER POUR ÇA...
POURQUOI...?
HUNG...
SHHHF!!!
POURQUOI VAS-TU AUSSI LOIN POUR AUTRUI...?

PARCE QU'ILS M'ONT SORTI DE L'ENFER... L'ENFER DE LA SOLITUDE...
...ILS ONT ACCEPTÉ MON EXISTENCE... ILS SONT SI PRÉCIEUX POUR MOI...
...
...UN SENTIMENT BIENVEILLANT ET AFFECTUEUX QUE L'ON ÉPROUVE ENVERS LES PROCHES ET LES GENS TRÈS IMPORTANTS POUR SOI.
...L'AMOUR...
...C'EST DE LÀ QUE VIENT SA FORCE...

HUNG...
SHHHP
STAP
ÇA SUFFIT, NARUTO...

SAKURA EST HORS DE DANGER.
CE TYPE A ÉPUISÉ TOUT SON CHAKRA... LE SABLE A RELÂCHÉ SON ÉTREINTE SUR SAKURA...
HAA
HAA
HAA

AH, BON...?
HUM...

!!!
HAA
STAP

ÇA SUFFIT... ON S'ARRÊTE LÀ.
NARUTO UZUMAKI...

HAA
HAA
HAA
JE N'AI JAMAIS VU GAARA DANS UN TEL ÉTAT DE FAIBLESSE.

STAP

J'AI COM-PRIS ...
HAA
HAA
ZUP

...
HAA
HAA

...

UN JOUR...
... JE LE CONNAîTRAI AUSSI...

TEMARI... KANKURÔ...

JE SUIS DÉSOLÉ...
!
!

...

JE NE VOIS PAS DE QUOI, ENFIN...

HUNG...
STAP
STAP
STAP
STAP

LE PETIT MONDE DE
IASASHI KISHIMOTO
PARCOURS 24-1

JOUR DE L'EXPÉDITION AU MAGAZINE ÉTAIT ARRIVÉ. BON AN, MAL AN, J'ÉTAIS PARVENU TERMINER, TOUT JUSTE DANS LES TEMPS, LES 91 PAGES DE "KARAKURI". C'ÉTAIT LA FIN MOIS DE FÉVRIER. L'EXAMINATEUR SERAIT HIROHIKO ARAKI*

EST LE CŒUR BATTANT QUE JE M'ÉTAIS RENDU, CE MATIN-LÀ, AU BUREAU DE POSTE POUR METTRE LA PRÉCIEUSE ENVELOPPE CONTENANT MON MANUSCRIT. ENSUITE, J'AVAIS JOINT S DEUX MAINS ET JE M'ÉTAIS MIS À PRIER LE BOUDDHA POUR QU'IL FASSE DE MOI LE URÉAT DU CONCOURS. (JE PRIAIS SOUVENT, À L'ÉPOQUE... UNIQUEMENT POUR DEMANDER S FAVEURS.) J'AVAIS RÉPÉTÉ MON VŒU UNE VINGTAINE DE FOIS EN GARDANT LES YEUX RMÉS.

ÉTAIS TELLEMENT PRIS PAR MA PRIÈRE QUE J'AVAIS OUBLIÉ QUE J'ÉTAIS À LA POSTE. EMPLOYÉ ATTENDAIT QUE JE ME DÉGAGE DE LA FILE. À MON RETOUR DANS LA RÉALITÉ, J'AI NSTATÉ QU'IL ME REGARDAIT AVEC UN AIR DÉGOÛTÉ.
AVAIT RANGÉ MON ENVELOPPE AVEC UNE EXPRESSION TERRIBLE SUR LE VISAGE, EN RMONNANT DANS SA BARBE. MAIS JE M'EN MOQUAIS !

ÉTAIS DONC RENTRÉ CHEZ MOI, ET LES JOURS S'ÉCOULAIENT DANS L'ATTENTE FÉBRILE DE PUBLICATION DES RÉSULTATS...

VEC LES AMIS, EN COURS, J'AVAIS L'ESPRIT AILLEURS. JE NE TROUVAIS PLUS LE SOMMEIL. ME RÉVEILLAIS LA NUIT ET JE RECONSIDÉRAIS LES COPIES DE MES PLANCHES. " AH, JE POURRAI JAMAIS L'EMPORTER AVEC UN TRAVAIL PAREIL !!!" OU BIEN " HM... CE N'EST PAS MAL. CELA POURRAIT PASSER..."
IE PÉRIODE TRÈS ÉPROUVANTE PSYCHIQUEMENT...

IS, 6 JOURS AVANT LA DATE FATIDIQUE, J'AI APPRIS UNE NOUVELLE TERRIBLE DE LA UCHE D'UN AMI DE LYCÉE, UN PROCHE DU MANGAKA KYOSUKE USUTA**... UNE DÉCLARATION ACASSANTE... UNE SIMPLE REMARQUE QUI M'A FOUDROYÉ...

À SUIVRE.

L'AUTEUR DE "JOJO'S BIZARRE ADVENTURE".
* L'AUTEUR DE "PYUU TO FUKU ! JAGUAR" CHEZ SHUEISHA.

139e épisode : SON NOM EST...!!

APPAREMMENT, KONOHA A ÉCHAPPÉ À LA DESTRUCTION TOTALE. MAIS LES VICTIMES SONT TRÈS NOMBREUSES...
C'ÉTAIT UN PAYS SPLENDIDE...
QUELLE TRISTESSE !!!

...
ÇA NE TE RESSEMBLE PAS...
ALORS, TU RESTES ATTACHÉ À CE PAYS, AU FOND ?

NON...
... PAS LE MOINS DU MONDE...

139e ÉPISODE :
SON NOM EST...!!

SHUUURP!!!
SMILE
ニコニコ
ICHIRAKU
一楽

DEUX JOURS PLUS TARD...

BOUH... OUH...

...

...
BOUHOU... HOU...
CELA VA FAIRE BIENTÔT UN AN, N'EST-CE PAS ?
IL N'EST PAS TOUJOURS FACILE DE CACHER EN PERMANENCE SA TRISTESSE ...
!
BRRR... BRRR...
... JE SAIS QUE D'ORDINAIRE TU AFFICHES TOUJOURS TA BONNE HUMEUR ET QUE TU FAIS RIRE TES CAMARADES...
... TON PROFESSEUR M'A PARLÉ DE TOI.
ヒック
ヒック
...
...
POUR UN SHINOBI, C'EST UN HONNEUR SUPRÊME DE MOURIR EN MISSION !!
...
MON PÈRE ET MA MÈRE...
... ONT SACRIFIÉ LEUR VIE POUR PROTÉGER LE VILLAGE DU DÉMON RENARD !
CE SONT DES HÉROS !!!!
NEZUMI
MASHIRO
IMOI
HIRAKI AJINO

JE SUIS LE FILS DE CES HÉROS !!!!
JE N'AI PAS PEUR D'ÊTRE SEUL !!!!
CE SONT DES LARMES DE JOIE...
ÇA SUFFIT...
... JE SAIS QUE C'EST LA SOLITUDE QUI TE FAIT SOUFFRIR...
CHOC !!
!
...
MAIS IL NE FAUT PAS QUE TU TE CROIES TOUT SEUL...
!
LES HABITANTS DU VILLAGE CACHÉ DE KONOHA...
... PORTENT HAUT LA FLAMME DE LA VOLONTE ...
...
... LA FLAMME DE LA VOLONTE ?

LA VOLONTÉ DE PROTÉGER NOTRE VILLAGE.
...
TANT QUE CETTE VOLONTÉ SERA FORTE... TOUS LES HABITANTS DU VILLAGE SERONT CONSIDÉRÉS COMME LES MEMBRES D'UNE MÊME ET GRANDE FAMILLE...
DIS-MOI, IRUKA, POSSÈDES-TU LA FLAMME EN TOI ?
...
SHINOBI IG
KARASHI
AGEHA CHÔ
TAÏNO
NEZUMI MAS
IMOI
HIRAKI AJ
SHIMOFUR
HASAMI KI
FUYUNO
UROKO MEKU
KAGURA
OUI !
ニコ
SMILE

H... GH...
...

CES FLEURS SONT POUR HAYATE ...?

LES FUNÉRAILLES DE HOKAGE, LE 3e ONT COMMENCÉ...
DÉPÊCHE-TOI...

SENPAÏ, TU ES SANS DOUTE LÀ POUR OBITO...

SI TU ES FATIGUÉ DE TOUJOURS DEVOIR JUSTIFIER TES RETARDS, VIENS ICI UN PEU PLUS TÔT...

...

JE SUIS LÀ DEPUIS LE PETIT MATIN...
...!

MAIS QUAND JE ME RECUEILLE ICI...
... JE FINIS TOUJOURS PAR ME REPROCHER MA BÊTISE D'AUTREFOIS, DES HEURES DURANT.

HUM!!!
iL Y A DEUX GRELOTS ...
... DEUX SEULEMENT. DONC ...?
UN DE NOUS RESTERA ATTACHÉ AU TRONC...
QUELLE PERSPICACITÉ, OROCHIMARU !!!
GLING! GLING!
PARFAIT ! LES DEUX SONT POUR MOI !!
GLING!!!
Hi Hi Hi... J'AI GAGNÉ MON PARI AVEC TOI !
TU VAS NOUS REGARDER MANGER EN ÉTANT ATTACHÉ !!!

BIEN... ON S'ARRÊTERA LÀ...
TSUNADE, OROCHIMARU... RENTREZ CHEZ VOUS !
RÉPÈTE, ÇA ? MONSIEUR L'INTELLO PERVERS !!
GATCH !
SALUT !!!
ZP !
HUM !!!
...
GMRBL
TU ES TROP SUSCE TIBLE.
TU TOMBES SYSTÉMATIQUEMENT DANS LES PIÈGES LES PLUS BANALS ? ET TU VEUX DEVENIR NINJA ?
BEN...

OBSERVE UN PEU OROCHI-MARU. TU AS BEAUCOUP À APPRENDRE DE LUI !
KZUM
...
OROCHIMARU PAR-CI, OROCHIMARU PAR-LÀ... VOUS N'AVEZ QUE CE NOM-LÀ À LA BOUCHE. Z'ÊTES LOURD À LA FIN !
MOI, J'EMPLOIE LA TECHNIQUE DU CAMOUFLAGE COMME PERSONNE... POUR RELUQUER LES FILLES.
JUSQU'ICI, JE NE ME SUIS ENCORE JAMAIS FAIT PINCER !
...
PFFF...
TU MAÎTRISERAIS LE CAMOUFLAGE À LA PERFECTION ? TOI ?
LA PROCHAINE FOIS, JE T'ACCOMPAGNERAI... POUR VÉRIFIER TES DIRES...
...!?
...
...
MAÎTRE SARUTOBI... VOUS ÊTES UN PERVERS !!!

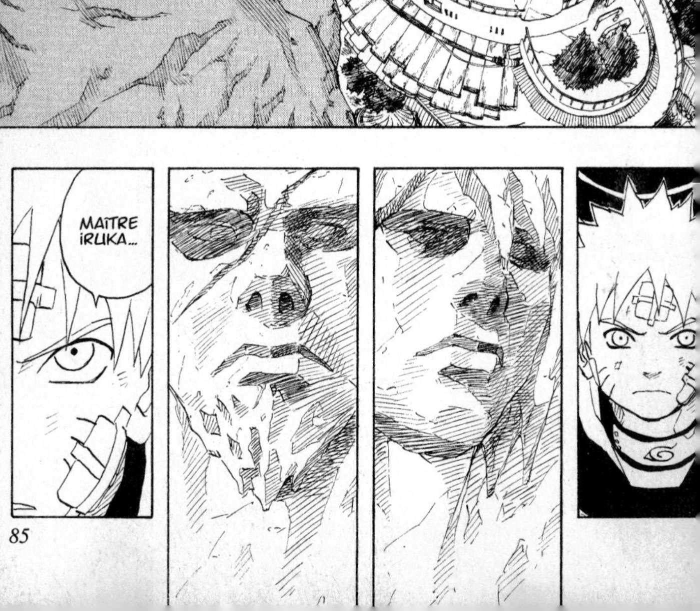
MAîTRE IRUKA...

!

... POURQUOI LES GENS...
... VONT-ILS JUSQU'À DONNER LEUR VIE POUR D'AUTRES ?

...

QUAND UNE PERSONNE MEURT, TOUT S'EN VA...
... SON PASSÉ, SON PRÉSENT ET SON FUTUR...
DE NOMBREUSES PERSONNES MEURENT EN MISSION, OU À LA GUERRE... ÇA A L'AIR SI SIMPLE.

COMME HAYATE, PAR EXEMPLE...

... ILS AVAIENT COMME NOUS DES RÊVES ET DES OBJECTIFS À EUX... MAIS IL Y A UNE AUTRE CHOSE... ESSENTIELLE...

C'EST LE LIEN QUI NOUS RELI AUX PARENTS, NOS FRÈRES ET SOEURS, À NOS AMIS INTIMES, NOS AMANTS, NOS CAMARADE DU VILLAGE : AU GENS IMPORTANT POUR NOUS, EN SOMME...
... CEUX EN QUI NOUS AVONS CONFIANCE, CEUX QUI NOUS AIDENT ET QUE NOUS AIDONS, CEUX QUI COMPTENT À NOS YEUX DEPUIS QUE NOUS SOMMES NÉS.

PLUS LE TEMPS PASSE...
... PLUS CE LIEN DEVIENT ÉPAIS ET RÉSISTANT...

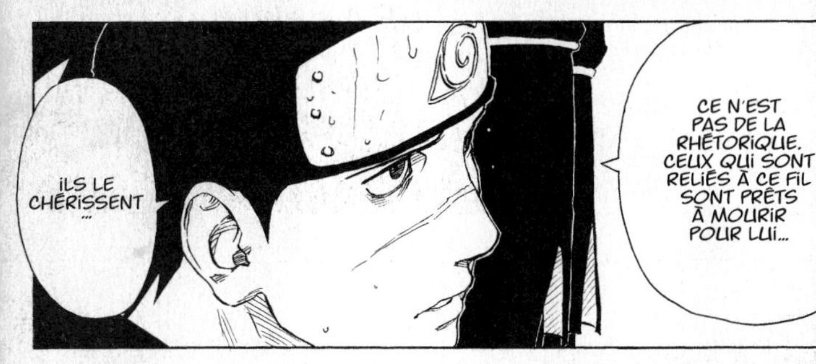
CE N'EST PAS DE LA RHÉTORIQUE. CEUX QUI SONT RELIÉS À CE FIL SONT PRÊTS À MOURIR POUR LUI...
ILS LE CHÉRISSENT ...

...
HM... JE CROIS COMPRENDRE CE DONT VOUS PARLEZ.

MAIS ALLER JUSQU'À MOURIR...
HOKAGE N'A PAS SIMPLEMENT DISPARU DANS LE NÉANT.
IL NOUS A LAISSÉ À TOUS QUELQUE CHOSE. QUELQUE CHOSE DE PRÉCIEUX.

?
UN JOUR, TU COMPRENDRAS...

HM !
J'AI BIEN UNE PETITE IDÉE...

À BIENTÔT, MAÎTRE IRUKA !!!
OUI...
STAP !

DASH
ダッ

AH, LES JEUNES BOURGEON DE L'ARBRE DE KONOHA CHER HOKAGE LE 3e...
COMME VOUS AIMIEZ À LE DIRE... ENTRETENONS "LA FLAMME DE LA VOLONTÉ"...

... QU'ELLE EMBRASE LES COEURS, ET BIENTÔT DANS L'UN DEUX, ELLE BRÛLERA PUISSAMMENT, ÉBLOUISSANTE.
SON FEU ÉCLAIRERA ET PROTÈGERA NOTRE VILLAGE...

... IL SERA UN JOUR HOKAGE ...

SOURCES THERMALES
140e ÉPISODE
ILS APPROCHENT...!!

HE HE HÉ...
ENCORE À CE GENRE D'OCCU-PATIONS ? C'EST DÉSESPÉRANT...
STAP
'EST TRAVAIL NVES- ATION R MON VRE.

MAÎTRE KOHAL ET LE VIEIL HOMURA...
QUE ME T DONC LA ITE DE NOS ESTIGIEUX NSEILLERS ?

HUNG...

SBOM
SARU-TOBI... MAUDIT SINGE...
K...!!!

CE N'ÉTAI PAS S ÉVIDEN APRÈ TOUT.
NOUS NOUS SOMMES TOUT DE MÊME MESURÉS À CELUI QUE L'HISTOIRE RETIENT DÉJÀ COMME LE PLUS PUISSANT HOKAGE DE TOUS LES TEMPS, TOUS VILLAGES CONFONDUS...

JE TROUVE NOS RÉSULTATS POSITIFS...
DEUX HOKAGE ONT ÉTÉ EXPÉDIÉS DANS LA TOMBE...

...!

CESSE CES PATHÉTIQUES TENTATIVES DE RÉCONFORT...
... SI TU NE VEUX PAS MOURIR...

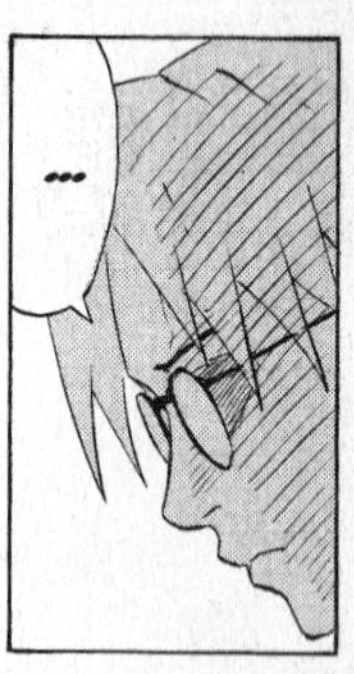
...

CE N'ÉTAIT ABSOLUMENT PAS MON INTENTION ...
CERTES, LE VILLAGE N'EST PAS TOMBÉ...
... MAIS L'AUTRE OBJECTIF DE NOTRE PLAN N'EST PAS PERDU...

... SASUKE PORTE VOTRE "COLLIER"...

...
HUN HUN HUN...

EN CONTREPARTIE, J'AI PERDU MES BRAS ET TOUTES MES TECHNIQUES...

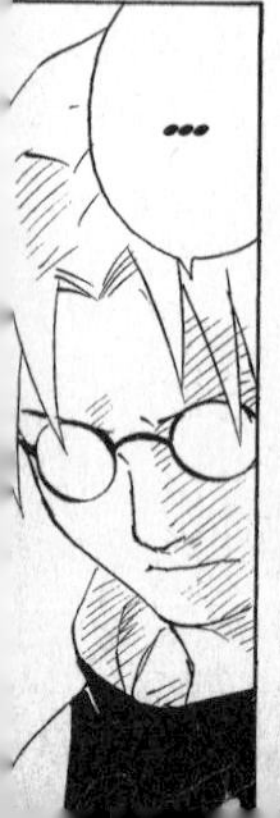
...

Si NOUS AVIONS PU METTRE LA MAIN SUR UCHIWA ITACHI NOUS N'AURIONS PAS EU DE PROBLÈME...
... MAIS C'ÉTAIT IRRÉALISABLE.
IL EST BIEN TROP FORT POUR MOI...
...
VOILÀ POURQUOI J'AI QUITTÉ L'ORGANISATION ...
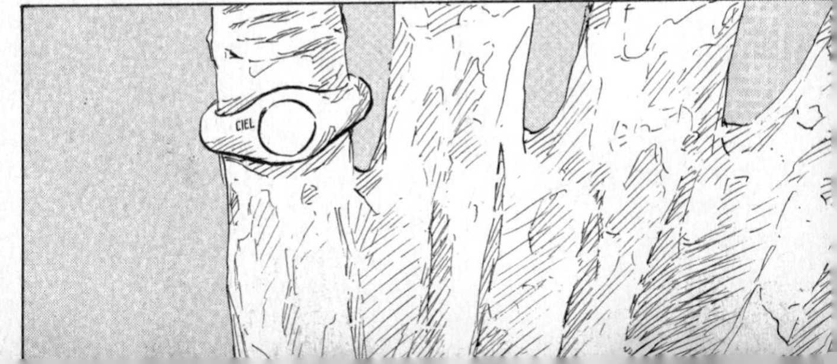
CIEL

ピィ
Fiiiiiiiiiip
ピィ
Fiiiiiiiiip
ピィ
Fiiiiiiiiip
ザッ
STAP
ザッ
STAP
ザッ
STAP
ザッ
STAP
ザッ

PAR ICI !
STAP
STAP
!!
MAIS C'EST ...!

LA MORT REMONTE QUELQUE JOURS...
... PROBABLEMENT AVANT LE DÉBUT DE L'EXAMEN DE SÉLECTIONS DES NINJAS DE MOYENNE CLASSE.
... HGN...

ALORS, C'ÉTAIT DONC ÇA QU'IL AVAIT MANIGANCÉ
IMMONDE SERPENT...

OROCHIMARU...
OROCHIMARU, OU BIEN KABUTO, A JOUÉ LE RÔLE DE MAÎTRE KAZEKAGE, APRÈS L'AVOIR ASSASSINÉ.
NOUS AVONS ÉTÉ TROMPÉS TOUT DU LONG...

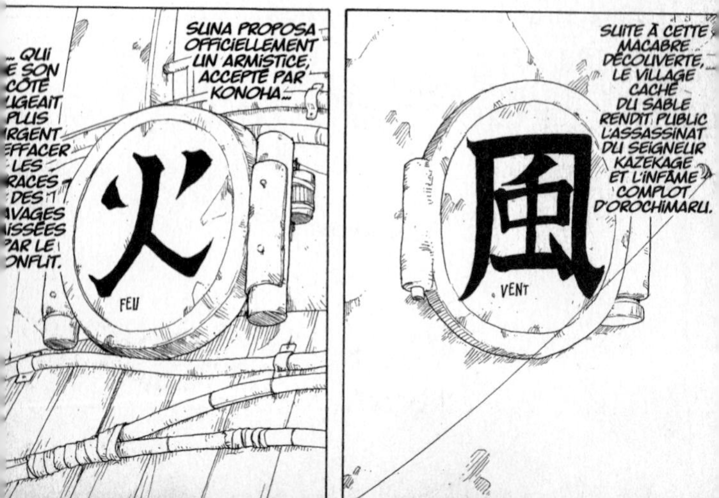
SUITE À CETTE MACABRE DÉCOUVERTE, LE VILLAGE CACHÉ DU SABLE RENDIT PUBLIC L'ASSASSINAT DU SEIGNEUR KAZEKAGE ET L'INFÂME COMPLOT D'OROCHIMARU.
風
VENT
SUNA PROPOSA OFFICIELLEMENT UN ARMISTICE, ACCEPTÉ PAR KONOHA...
... QUI E SON CÔTÉ UGEAIT PLUS RGENT FFACER LES RACES DES AVAGES ISSÉES PAR LE ONFLIT.
火
FEU

CE QUE NOUS VOULONS ?
ALLONS, TU LE SAIS PERTINEMMENT !!!

...

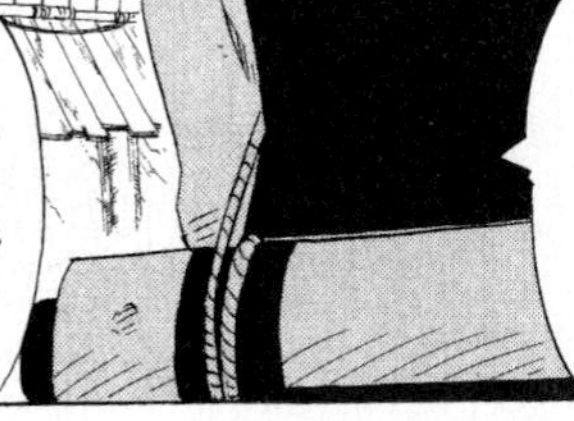
PAS BESOIN FAIRE CES TÊT D'ENTERREME TOUS LES PROBLÈMES AVEC LE VILLA DU SABLE SO RÉSOLUS, NON ?

... NOS RELATIONS AVEC LE VILLAGE DE SUNA NE SONT PAS LE SUJET LE PLUS PRÉOCCUPANT POUR L'HEURE.

LA PUISSAN DE KONOHA TERRIBLEM DIMINUÉE
DANS UNE TELLE SITUATION, LA PREMIÈRE DES PRIORITÉS EST DE SE PRÉPARER À AFFRONTER LES CRISES À VENIR..

NOTRE FAIBLESSE NE TARDERA PAS À AIGUISER L'APPÉTIT DES PAYS LIMITROPHES.
NOUS AVONS DÉCIDÉ DE RÉUNIR TOUS LES CHEFS MILITAIRES ET LES DIRIGEANTS POUR CONSTITUER UN COMITÉ DES AFFAIRES PUBLIQUES SOUS L'AUTORITÉ DUQUEL LE VILLAGE SERA PLACÉ TANT QU'IL N'AURA PAS RETROUVÉ TOUTE SA FORCE...
MAIS AVANT CELA...

... IL NOUS FAUT DÉSIGNER UN LEADER EN QUI TOUT LE MONDE A CONFIANCE.
LA PÉRIODE DE PRÉCARITÉ QUE NOUS ALLONS TRAVERSER SERA UN TERRAIN PROPICE AUX TROUBLES...
OROCHIMARU N'EST PAS LA SEULE MENACE...
NOUS AVONS BESOIN DU 5e HOKAGE LE PLUS TÔT POSSIBLE !
HIER, UNE SESSION EXTRAORDINAIRE DE L'ASSEMBLÉE S'EST TENUE AVEC LA DÉLÉGATION DES SEIGNEURS DES PROVINCES DU PAYS DU FEU...

HÉLAS, MES BONS SIRES...
... JE NE SUIS PAS L'HOMME DE LA SITUATION.

C'EST SANS APPEL
... ET PUIS, SI TU N'ES PAS QUALIFIÉ, TOI, L'UN DES TROIS NINJAS DE LA LÉGENDE... ALORS QUI LE SERAIT ?!
LE TROISIÈME NINJA, JUSTEMENT.
...

TSUNADE...

... ELLE PEUT SAN DOUTE PRÉTENDR AU TITRE.
... MAIS PERSONNE NE SAIT OÙ ELLE SE TROUVE.

JE LA TROUVERAI ET LA RAMÈNERAI.
VOUS N'AVEZ PAS D'OBJECTIONS, DANS CE CAS ?
... C'EST-À-DIRE QUE...

ALLONS, ALLONS... LA BRILLANTE TSUNADE EST BIEN PLUS QUALIFIÉE...
... QU'UN ÊTRE AUSSI PEU MOTIVÉ QUE MOI...
...
...
SOIT... NOUS ALLONS PRENDRE TA PROPOSITION EN CONSIDÉRATION...
TU ACCEPTERAS BIEN QUE 3 AGENTS DES SERVICES SECRETS T'AIDENT DANS TES RECHERCHES ...?
QUE DÉCIDEZ-VOUS ?

RASSUREZ-VOUS, JE N'AI PAS L'INTENTION DE FUIR.
PAS BESOIN DE VOS SURVEILLANTS...
... PAR CONTRE, J'AIMERAIS AVOIR UN COMPAGNON DE VOYAGE...
J'AI TROUVÉ UN PETIT QUI PROMET !

DANGO*
ÇA FAIT LONGTEMPS QUE TU N'AS PAS REMIS LES PIEDS DANS TON PAYS, N'EST-CE PAS ? QUE DIRAIS-TU DE PRENDRE UNE TASSE DE THÉ AVANT DE NOUS METTRE AU TRAVAIL ?
HM... POURQUOI PAS ?

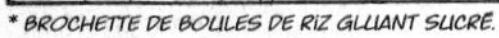
* BROCHETTE DE BOULES DE RIZ GLUANT SUCRÉ.

ARBRE D'HIVER

!

YO ! ÇA VA VOUS DEUX...? LA VIE EST BELLE ?
C'EST UN RENDEZ-VOUS GALANT ?

IDIOT ! ANKO NOUS A DEMANDÉ DE LUI RAMENER DES GÂTEAUX.
ET TOI, QU'EST-CE QUE TU FAIS ICI ? TU N'AIMES PAS LES SUCRERIES, D'HABITUDE...

JE SUIS VENU ACHETER QUELQUES OFFRANDES.
ET PUIS, J'A RENDEZ-VOUS ICI...

... AVEC SASUKE.

...
C'EST RARE DE TE VOIR ATTENDRE QUELQU'UN...

ZP !!!
...
ZUP
MAITRE KAKASHI... VOUS ÊTES ARRIVÉ AVANT MOI ? C'EST UN JOUR FASTE...
HÉ OUI... TOUT ARRIVE...
TAP
TAP

TIQUETTES DE SUCRERIES.

ARICOTS DE SOJA FERMENTÉS, À LA TEXTURE GLUANTE ET VISQUEUSE.

ICHIRAKU
NOU
SMILE
SLUUUURP!!!
ICHIRAKU
J'AI VOULU VÉRIFIER SI CE QU'ON DIT EST VRAI... ALORS, TU NE TE NOURRIS VRAIMENT QUE DE NOUILLES...?
GULP!!
!

MWONF ! M'ERMIBE BFERBFER !
(ARGH ! L'ERMITE PERVERS !)

STAP

ÇA FAIT SI LONGTEMPS...
ASUMA... KURENAI...

FLIP !

VOUS N'ÊTES PAS D'ICI...
QUE VENEZ-VOUS FAIRE À KONOHA ?

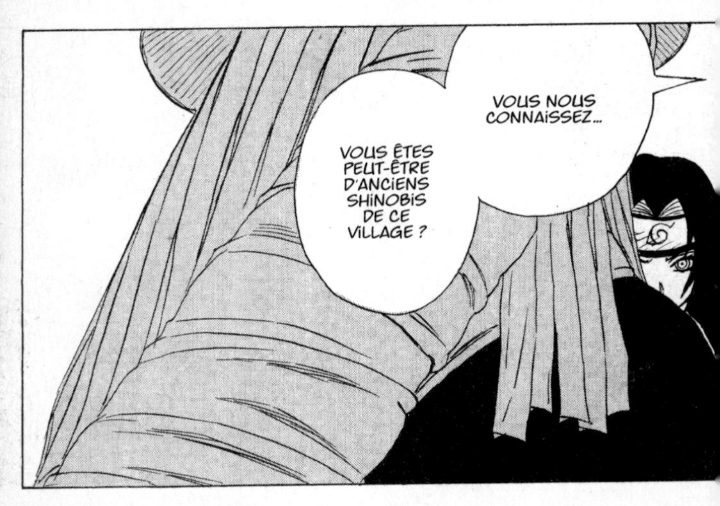
VOUS NOUS CONNAISSEZ...
VOUS ÊTES PEUT-ÊTRE D'ANCIENS SHINOBIS DE CE VILLAGE ?

!!

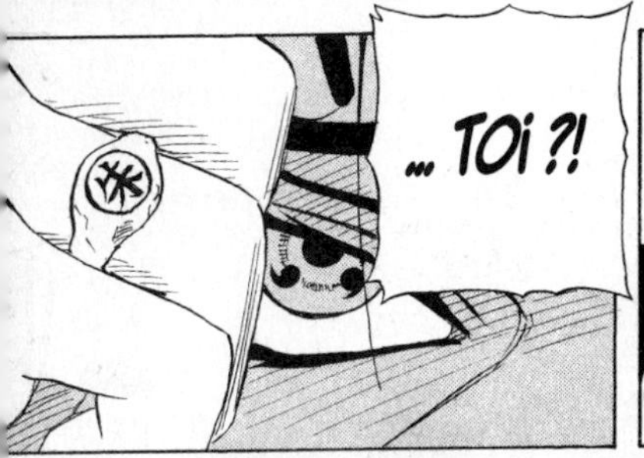
... TOI ?!

LE PETIT MONDE DE
ASASHI KISHIMOTO
PARCOURS 24-2

ON AMI M'AVAIT DIT :
LORSQU'IL A REMPORTÉ SON PRIX, USUTA [LE MANGAKA DONT IL ÉTAIT PROCHE, SOUVENEZ-OUS] AVAIT REÇU UN COUP DE FIL PERSONNEL DU RÉDACTEUR EN CHEF DE JUMP, UNE SEMAINE VANT LA PUBLICATION DES RÉSULTATS"...!!
HEIN ?! JE N'AI PAS ENCORE ÉTÉ CONTACTÉ... ÇA VOUDRAIT DIRE ... QUE JE ME SUIS LANTÉ ?!". J'ÉTAIS PRÉCIPITÉ DANS UN ABÎME DE DÉSESPOIR ! SUBITEMENT, J'AVAIS ARRÊTÉ 'ALLER À LA FAC, JE PASSAIS MES JOURNÉES SUR LA CONSOLE DE JEU !
AIS AU FOND DE MOI, UNE PETITE VOIX ME DISAIT... "SI LA RÉDACTION CONTACTE LE AGNANT TROP EN AVANCE, ELLE RISQUE DE VOIR L'HEUREUX ÉLU RÉPANDRE LA NOUVELLE ARTOUT. SI LES RÉSULTATS CIRCULENT SUR LE WEB AVANT LEUR PUBLICATION, JUMP E TROUVERA DANS UNE SITUATION DÉLICATE AU MOMENT DE LEUR CONFIRMATION. CE ERAIT COURIR AU-DEVANT DE TROP D'ENNUIS ET DE PROTESTATIONS DE LA PART DES ERDANTS ("QUELLE ARNAQUE !! TOUT ÉTAIT JOUÉ D'AVANCE !!") : CERTAINEMENT QU'ILS NE ONTACTERONT LE VAINQUEUR QUE LE JOUR MÊME DE LA PUBLICATION OFFICIELLE DANS LE AGAZINE, LA VEILLE, À LA RIGUEUR. C'EST ÉVIDENT !".
E REPRENAIS COURAGE ET PRIAIS DANS L'ATTENTE DE CE COUP DE FIL.

NFIN, LA VEILLE DU GRAND JOUR ÉTAIT ARRIVÉE ! J'ÉTAIS RESTÉ TOUTE LA JOURNÉE À LA AISON À ATTENDRE CE FAMEUX COUP DE TÉLÉPHONE, À SURVEILLER LA BOÎTE AUX LETTRES... AIS IL NE S'ÉTAIT RIEN PASSÉ...
E SOIR, JE ME RETOURNAIS SANS CESSE DANS MON LIT, TOUJOURS EN PROIE À L'EXCITATION. U MOMENT OÙ JE COMMENÇAIS À SOMBRER DANS LE SOMMEIL... LA SONNERIE RETENTIT...
E DÉCROCHAI LE COMBINÉ ET LE POSAI SUR MON OREILLE... MON CŒUR ÉTAIT SUR LE POINT E ROMPRE.
ALLÔ ?"... "JE TRAVAILLE À LA RÉDACTION DE JUMP..."... D'INSTINCT, JE RÉPONDIS OUI ?!"... "AVEC KARAKURI, VOUS AVEZ REMPORTÉ LE PREMIER PRIX. FÉLICITATIONS !"... 'AI VRAIMENT CRU AVOIR UNE ATTAQUE CARDIAQUE... ET KZUM !!!... JE ME SUIS RÉVEILLÉ. E N'ÉTAIT QU'UN RÊVE... JE NE PLAISANTE PAS. J'AI DÉPRIMÉ TRÈS FORT LES HEURES UIVANTES !

T PUIS, LE MATIN, VOULANT CROIRE À UN RÊVE PRÉMONITOIRE, JE ME SUIS RENDU TOUT EUL AU COMBINI. EN POUSSANT LA PORTE DU MAGASIN, L'ESPOIR AVAIT CONSIDÉRABLEMENT IMINUÉ... "OH, À TOUS LES COUPS, C'EST FOUTU."
T, BALLOTTÉ PAR UNE HOULE DE SENTIMENTS INDESCRIPTIBLES, JE DÉCIDAI D'ENTRER. Y AVAIT DES PILES DE WEEKLY SHONEN JUMP POSÉES PRÈS DE LA CAISSE. MON CŒUR 'ÉTAIT REMIS À BATTRE TRÈS FORT, ET MON ESTOMAC AVAIT DÉCIDÉ DE RESSORTIR PAR LA OUCHE...

141e épisode : ITACHI UCHIWA !!

ZUP !!!

ZP !

... HUM !!!
IL N'Y A PAS D'ERREUR POSSIBLE...

PAK !
PAK !

141ᵉ ÉPISODE :
ITACHI UCHIWA...
ITACHI UCHIWA !!!!

...
...
CE SONT DES CONNAISSANCES À TOI, ITACHI ?
DANS CE CAS... JE ME PRÉSENTE, C'EST PLUS POLI...
FP !
...
... KISAME HOSHIGAKI, POUR VOUS SERVIR !
VOILÀ ! LES PRÉSENTATIONS SONT FAITES POUR LA PROCHAINE FOIS...
LA PROCHAINE FOIS...? TA TA TA...
... JE VOUS DÉCLARE EN ÉTAT D'ARRESTATION, MAINTENANT !!!

APPAREMMENT, TOI NON PLUS, TU N'ES PAS TRÈS POPULAIRE CHEZ TOI, ITACHI...

JE TE CONNAIS...
... TU ES UN SHINOBI DÉSERTEUR DU PAYS DU BROUILLARD...

TU ES ACCUSÉ DU MEURTRE DE TON SEIGNEUR, DE TENTATIVE D'ATTEINTE À LA SÛRETÉ DE L'ÉTAT...
... TU ES RECHERCHÉ DANS TOUS LES PAYS, JUSQU'À L'OCÉAN.

LES GARS... VOUS ÊTES CLASSÉS "CRIMINELS DE CLASSE S" DANS LE "BINGO BOOK".

...

ITACHI...
... TU NE MANQUES PAS DE COURAGE POUR REMETTRE LES PIEDS AU VILLAGE APRÈS LES CRIMES DONT TU T'ES RENDU COUPABLE...

ASUMA... KURENAI...
... LAISSEZ-MOI TRANQUILLE ! JE N'AI PAS L'INTENTION DE VOUS TUER !

TU PENSES QUE LA PAROLE DE QUELQU'UN QUI A MASSACRE SA PROPRE FAMILLE A DE LA VALEUR...
... JE ME TROMPE ?

JE DEVRAIS CROIRE QUE TU ES VENU SANS INTENTIONS PARTICULIÈRES, AVEC CET ACCOUTREMENT DES PLUS SINISTRES ...
TU N'ES PAS HOMME À TE MONTRER SANS BUT PRÉCIS...

QU'ES-TU VENU FAIRE ICI ?

...

ZP !

CE TYPE EST TROP CURIEUX...
... JE LE SUPPRIME ?
ZWISH

J'AI L'IMPRESSION QU'ON NE NOUS LAISSERA PAS REPARTIR GENTIMENT !!!
RETIENS TA FOUGUE CRÉATRICE ET RESTE SIMPLE, POUR UNE FOIS.
... TU AS LA FÂCHEUSE MANIE DE "LAISSER DES TRACES"

... LEUR SORT EST DONC RÉGLÉ !!!

TOM!!!

KIIING

* ART D'UTILISER LES ILLUS

TOM !
JE PLOIE SOUS SA LAME... C'EST UNE FORCE DE LA NATURE.
BLITCH
...!!!
MON GRAND SABRE, SAME-HADA, "PEAU DE REQUIN", NE COUPE PAS...

ORAAAAAA!!!
GNUP
...!!
TSSSS!!!
... IL DÉCHIRE !!!!

FWOOM
!
KURENAI... TU ES LENTE !
...
FFFFFFFF...
FLOOOSH

WOOO WOOO
WOOO ズズズッ

GWUUUSH!

ZUP スッ..

FWUSH
VOILÀ, J'AI FINI !!!

LE GENJUTSU DE CE NIVEAU N'A AUCUN POUVOIR SUR MOI...
!!
IL... IL A CONTRE MON ILLUSION !!!
ZING!!!
...
GNN

ZLASH
STAP!!!
KRRRS
FWUP!
!!
BOMK
!
KURENAÏ!!!
TU N'AS PAS LE TEMPS DE REGARDER AILLEURS !!!
SPLASH

!
KURENAI, MÊME VOUS, VOUS NE FAITES PAS LE POIDS...
BON... TOUT S'ARRÊTE LÀ...
... ENFIN, POUR TOI...
!
FWP
FWP
ZWISH
ZUP!!!

QUOI ?!
BLIIIITCH !

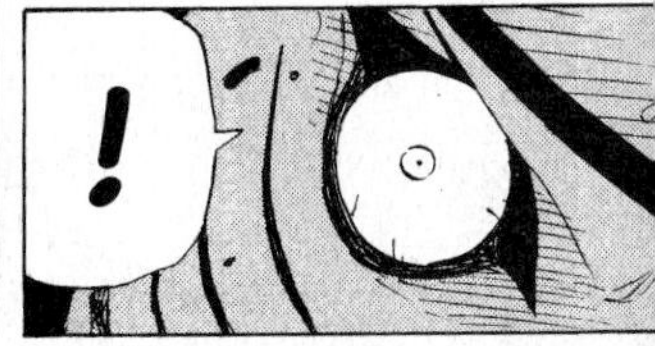
!

SHRRRR...

FWAP
SUITON !

SUIKÔDAN !! LE REQUIN ÉLÉMENTAIRE AQUEUX !!

DOOOOSH
C'EST MA TECHNIQUE...!!
QU'EST-CE QUE TU FAIS LÀ, TOI ?
JE VOUS AVAIS DEMANDÉ DE LES FILER, MAIS...
... JE N'ÉTAIS PAS TRANQUILLE...
UN CLONE ...

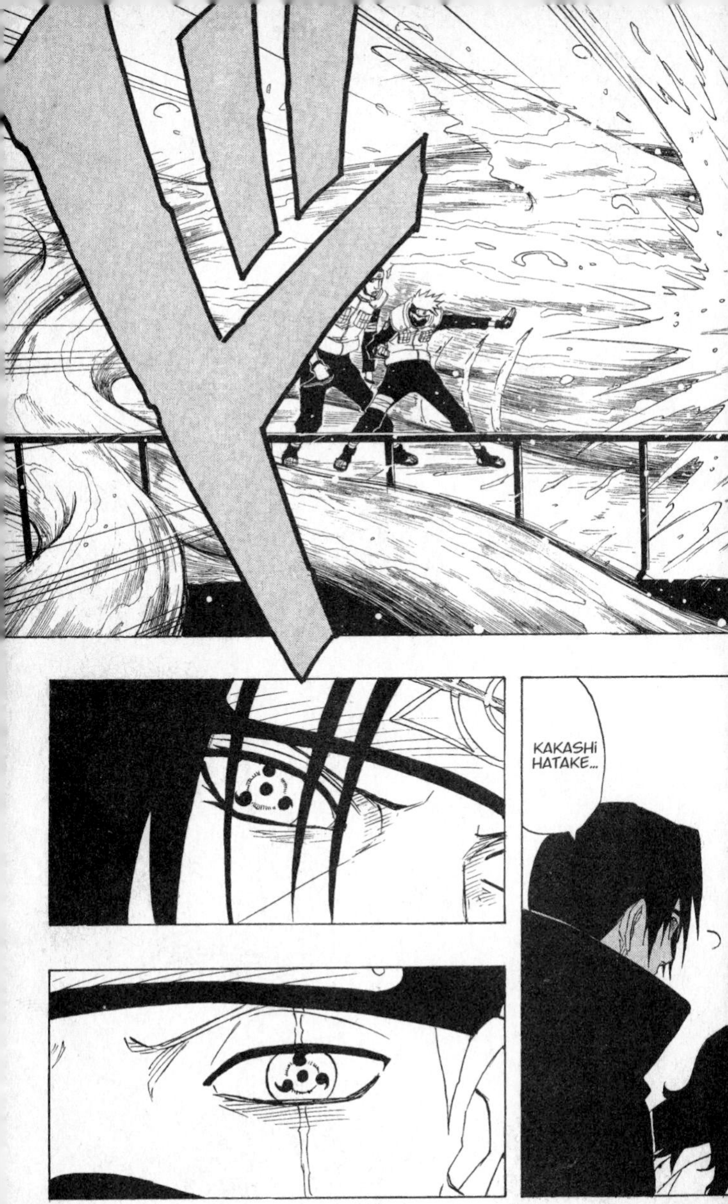
KAKASHI HATAKE...

142e ÉPISODE
KAKASHI VERSUS ITACHI !!

LE MÊME REGARD QU'AUTRE-FOIS !!

... MAIS JE DOIS M'ATTENDRE AU PIRE... C'EST UN HÉRITIER NATUREL DU SHARINGAN...

... MAIS JE COMPRENDS MIEUX COMMENT IL A PU COPIER MA TECHNIQUE AUSSI PARFAITEMENT...
JE SAVAIS QU'ITACHI N'ÉTAIT PAS LE SEUL PORTEUR DE CETTE PUPILLE FABULEUSE...
LE VOILÀ EN PERSONNE : KAKASHI, LE FAMEUX NINJA COPIEUR !

C'EST MOI QUI SUIS ÉTONNÉ...
... JE ME DEMANDAIS QUI POUVAIENT BIEN ÊTRE LES DEUX CLIENTS LOUCHES ASSIS AU SALON DE THÉ...

MAIS DE LÀ À IMAGINER QUE JE TOMBERAIS SUR ITACHI UCHIWA...

... ET SUR LE MYSTÉRIEUX KISAME HOSHIGAKI, DU VILLAGE CACHÉ DU BROUILLARD...

EH BIEN... TU CONNAIS MÊME MON NOM...
J'EN SUIS HONORÉ !!!

UN DES SEPT NINJAS DE KIRI QUI MANIENT LE SABRE... TOUJOURS ACCOMPAGNÉ DE SON GRAND SABRE... "PEAU DE REQUIN", C'EST ÇA ?

HUN HUN...

J'AI ENTENDU DIRE QUE CE GAMIN DE ZABUZA S'ÉTAIT BATTU CONTRE TOI...?
OUI...

HUN HUN...
VOILÀ UNE PROIE DIGNE D'ÊTRE DÉCHIRÉE...
ギリ

ÇA SUFFIT...
...KISAME !!!

!

!

!

CROIS-TU POUVOIR L'AFFRONTER ET EN SORTIR INDEMNE ?
AU FIL DES MINUTES, TOUJOURS PLUS DE SHINOBIS ACCOURRONT ICI.
MAIS...

... N'OUBLIE PAS NOTRE OBJECTIF...
NOUS NE SOMMES PAS VENUS POUR ÊTRE BLESSÉS !

ON PEUT SAVOIR QUEL EST CET OBJECTIF...?
ボン
POF

...

...

NOUS SOMMES VENUS CHERCHER QUELQUE CHOSE...

...
ELQUE OSE ?

DE QUO
PARLES-
TU ?
...

... CONTRAI-
REMENT
À KISAME,
JE N'AI PAS
BESOIN DE
TEMPS DE
PRÉPARATION
POUR MES
TECHNI-
QUES.

* ART D'UTILISER L'EAU.

FLOOOOSH
!!
KAKASHi ! KURENAi !!!!
STAP!!!
iL A FAiT EXPLOSER SON CLONE AQUEUX ?!

FFFFFFF...
HUNG!!
KZiM!!!
KAKASHi...

RESTE SUR TES GARDES... À 13 ANS, iL ÉTAiT DÉJÀ À LA TÊTE DES SERViCES SPÉCiAUX DE KONOHA.
ZUP
iL EST DONC Si FORT QUE ÇA ...?

TU N'AS ENCORE RiEN VU ...

VOUS N'ÊTES PAS RELIÉ PAR LE SANG AUX UCHIWA...
... ET POURTANT VOUS DÉMONTREZ UNE MAÎTRISE IMPRESSIONNANTE DU SHARINGAN...
CEPENDANT...
... À LA DIFFÉRENCE DES MEMBRES DE NOTRE CLAN, VOTRE MÉTABOLISME ...
... N'EST PAS PARFAITEMENT ADAPTÉ À LA PUPILLE.

C'EST ON NE PEUT PLUS VRAI...
JE ME FATIGUE TRÈS VITE...

LES UCHIWA SONT TRÈS PUISSANTS ET CRAINTS DE TOUS...
BLIP !

JE VAIS VOUS MONTRER ...
... LE VÉRITABLE POUVOIR DU SHARINGAN UTILISÉ PAR UN HÉRITIER LÉGITIME !!!

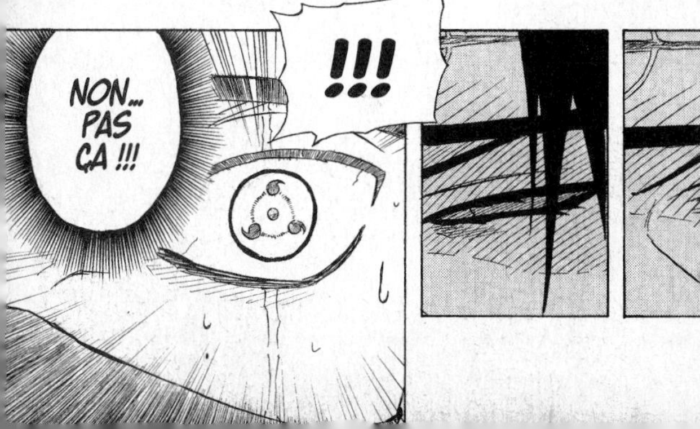
スウ…
ZUM
!!!
NON... PAS ÇA !!!

NOUS SOMMES EN DANGER !!
NE REGARDEZ PAS SES YEUX !!
ZUM
!
ZUM
!
ZUM

N'OUVREZ LES YEUX SOUS AUCUN PRÊTEXTE...
... SI VOUS CROISEZ SON REGARD MAINTENANT, C'EN EST FINI POUR VOUS !

IL EST PROBABLE QUE SEULS, CEUX QUI POSSÈDENT UN SHARINGAN, SONT EN MESURE DE L'AFFRONTER.

EFFECTIVEMENT, POSSÉDER, VOUS AUSSI, UNE PUPILLE...
... VOUS PERMETTRA DE RÉSISTER UN PEU AU "KALÉIDOSCOPE" HYPNOTIQUE DU SHARINGAN ...

... MAIS LE SORT D'ILLUSION "TSUKUYOMI", LES ARCANES LUNAIRES, ...
... NE PEUT PAS ÊTRE CONTRÉ...
SEULS CEUX EN QUI COULE LE SANG DES UCHIWA PEUVENT ME VAINCRE !
SASUKE...
!!
KZÜM

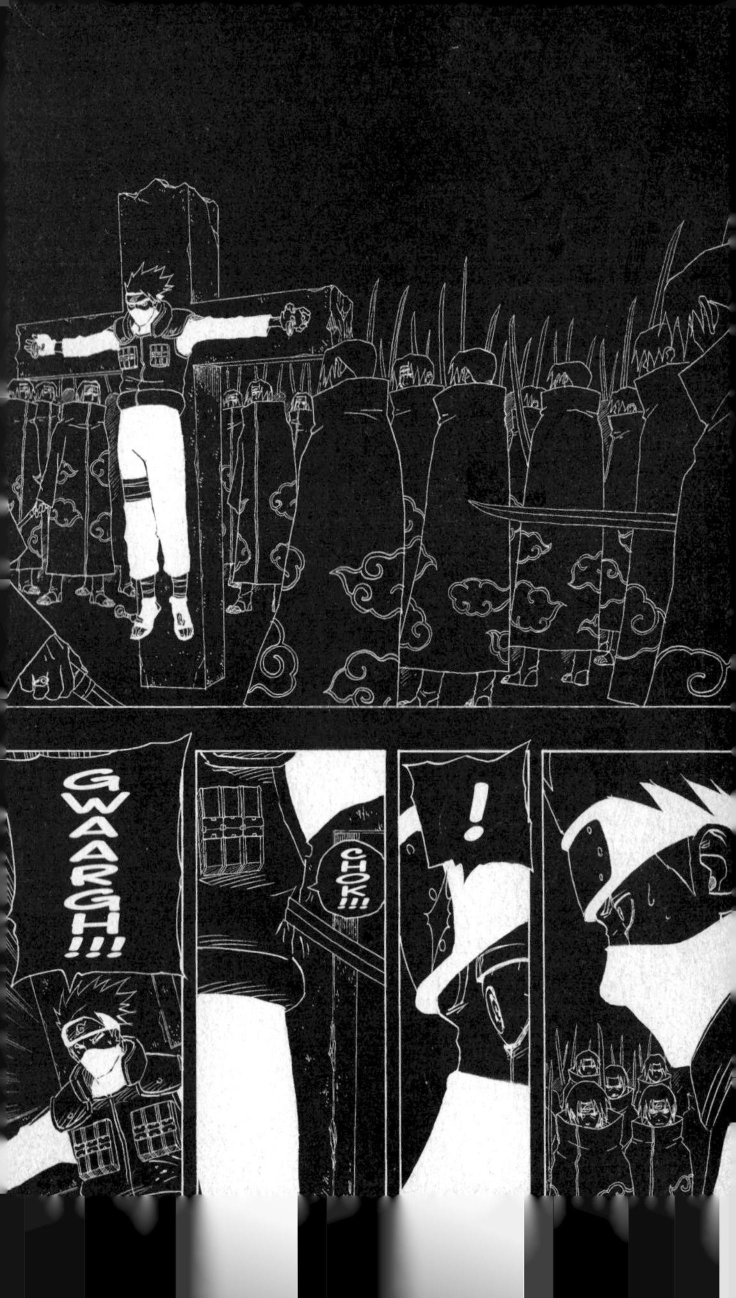

!
CHOK!!!
GWAARGH!!!

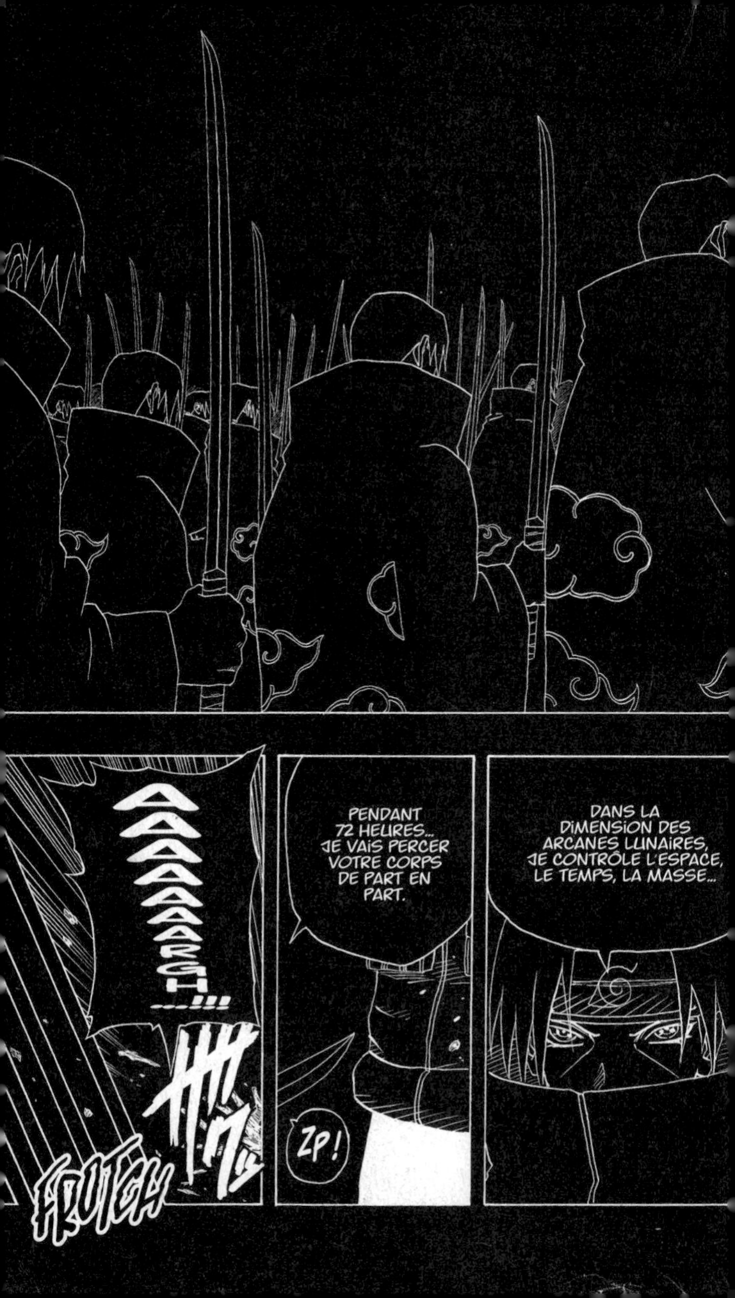
DANS LA DIMENSION DES ARCANES LUNAIRES, JE CONTRÔLE L'ESPACE, LE TEMPS, LA MASSE...
PENDANT 72 HEURES... JE VAIS PERCER VOTRE CORPS DE PART EN PART.
ZP !
AAAAAAAAARGH...!!!
FROUTCH

VRRR...
フラッ

QU'EST-CE QUE TU AS, KAKASHI ?!
DASH
バシャ
JE NE VOUS AI PAS DIT DE RÉOUVRIR LES YEUX !!!!

MAIS QUE S'EST-IL PASSÉ, BON SANG ?!

TU T'ES ÉCROULÉ DÈS QU'IL A FINI SA PHRASE...

HUNG... JE VOIS... TROIS JOURS PASSÉS DANS LE MONDE SPIRITUEL, CONTRE UN SEUL INSTANT DANS LE NÔTRE...
MAIS POURQUOI NE M'A-T-IL PAS ACHEVÉ ? C'ÉTAIT POURTANT SI FACILE...
URGH... PAS ENCORE...

IL A SUBI TON ATTAQUE, MAIS IL A RÉSISTÉ À L'ANÉANTISSEMENT PSYCHIQUE...
TU NE DEVRAIS PAS UTILISER PLUS LONGTEMPS CETTE PUPILLE... C'EST DANGEREUX POUR TOI AUSSI...
ザッ
SPLASH

HH
HH

HUNG...
TU ES VENU POUR SASUKE, C'EST ÇA ?
HAA
HAA

...

...
NON...

MISO
... POUR L'HÉRITIER DU TRÈS REGRETTE HOKAGE LE 4e...

LE PETIT MONDE DE MASASHI KISHIMOTO

PARCOURS 24-3

À LA CAISSE, MES MAINS TREMBLAIENT CONTINUELLEMENT. MON CŒUR NE FAISAIT PLUS " BOM BOM", MAIS "BAM ! BAM !". J'ÉTAIS MALGRÉ TOUT PARVENU À FAIRE L'ACQUISITION D'UN EXEMPLAIRE DE JUMP... JE ME RUAI AUSSITÔT À LA PAGE DES RÉSULTATS DU CONCOURS, À LA LIMITE DE L'ÉVANOUISSEMENT !
JE TOURNAIS LES PAGES DU MAGAZINE NERVEUSEMENT " C'EST OÙ ? ... À QUOI BON, DE TOUTE FAÇON, C'EST FOUTU !... MAIS C'EST OÙ ? OÙ, BON SANG ?!"
PARVENU À LA PAGE PRÉCÉDANT CELLE DES RÉSULTATS DU CONCOURS JUMP HOPE STEP DU 2E SEMESTRE, J'ENTREPRIS DE LA TOURNER AVEC UNE LENTE TERREUR ...

"TIENS, CE DESSIN... JE L'AI DÉJÀ VU..."

C'EST LA PREMIÈRE IMPRESSION QUE MON CERVEAU A RESSENTIE... ET PUIS, PEU À PEU...

"... CE DESSIN... C'EST LE MIEN...
MAIS C'EST DE MOI, ÇA ?!... MAIS...
MAIS ALORS...?!

OUBLIANT LES GENS AUTOUR, MA VOIX S'EST ÉLEVÉE, TOUTE SEULE :

"WAAAAAAAAAH ! WAAAAAAAAH !"

JE NE POUVAIS PLUS RIEN ARTICULER, COMME SI J'ÉTAIS VICTIME D'UN SORTILÈGE. AUSSITÔT, DES FRISSONS PARCOURURENT TOUT MON CORPS, TANDIS QUE J'AVAIS L'IMPRESSION D'IMPLOSER. C'ÉTAIT DONC ÇA, LES EFFETS DE LA JOIE EXTRÊME ? JE ME SUIS PRÉCIPITÉ AU-DEHORS DU COMBINI... ET, SANS SAVOIR POURQUOI, J'AI LANCÉ LE JUMP DE L'AUTRE CÔTÉ DE LA RUE. L'ANCIEN JOUEUR DE BASE-BALL QUE J'ÉTAIS AVAIT INCONSCIEMMENT REPRIS LE DESSUS. LES PASSANTS ME CONSIDÉRAIENT AVEC MÉPRIS ET INCOMPRÉHENSION ("MAIS QU'EST-CE QUE C'EST QUE CET EXCITÉ ?!"), MAIS C'ÉTAIT BIEN LA DERNIÈRE DE MES PRÉOCCUPATIONS.
J'AVAIS VÉCU 21 ANNÉES : C'ÉTAIT ALORS LE PLUS GRAND MOMENT DE MA VIE !!

143e ÉPISODE :

L'HÉRITIER !!

HAA
L'HERITIER...
HAA
HAA
... DE HOKAGE LE 4e...
...!
...!
...
...
QUE SONT VENUS FAIRE CES TYPES...?!
SPLAAASH

HH...
... ILS SONT LÀ POUR NARUTO...
HH...

Fwup

CELA FAIT SI LONGTEMPS...
DEPUIS COMBIEN D'ANNÉES N'AVEZ-VOUS PAS MIS LES PIEDS AU VILLAGE ?
...
KAKASHI...
...

CONFIE-MOI NARUTO...
...
JE SAIS QUE HOKAGE T'A DÉSIGNÉ POUR LA GARDE. C'EST UNE DÉCISION QUE J'APPROUVE.
MAIS IL SE PEUT QUE MÊME QUELQU'UN DE TA TREMPE NE SOIT PAS DE TAILLE...
...
QU'ESSAYEZ-VOUS DE ME DIRE ?
...
... J'AI SURVEILLÉ OROCHIMARU DEPUIS SA DÉFECTION...
PAR AILLEURS, BIEN VITE MES INVESTIGATIONS SE SONT PORTÉES AU-DELÀ DE LA SIMPLE SURVEILLANCE DE CE RENÉGAT.
... IL EST CLAIR QUE TÔT OU TARD, IL REVIENDRA AU VILLAGE...
...

QU'AVEZ-VOUS DÉCOUVERT ?
QU'IL EST ENTRÉ DANS UNE ORGANISATION SECRÈTE.
UNE ORGANISATION SECRÈTE ?
...
DES DÉTAILS ?
JE NE SAIS RIEN DE PRÉCIS SUR LES ACTIVITÉS QU'ELLE MÈNE, MAIS JE CONNAIS SON NOM : "AKATSUKI, LE POINT DU JOUR". EN FAIT, CE N'EST QU'UN GROUPUSCULE COMPOSÉ DE 9 SHINOBIS.
ILS N'ONT PAS REPRÉSENTÉ UNE MENACE DIRECTE JUSQU'À PRÉSENT ; ILS SE SONT CANTONNÉS À DES ACTIVITÉS D'ESPIONNAGE...
... LE PLUS INQUIÉTANT, C'EST LA COMPOSITION DE CE GROUPE.
?
ILS SONT TOUS RÉPERTORIÉS DANS LE "BINGO BOOK"...
... CE SONT EXCLUSIVEMENT DES CRIMINELS CLASSÉS "S"...

... PARMI EUX, ITACHI !!!
!!
CES 9 SHINOBIS NE SE SONT PAS RÉUNIS POUR FAIRE DU BÉNÉVOLAT SOCIAL...
JE PENSE QUE TU COMPRENDS CE GENRE DE CHOSES...
...
RÉCEMMENT, OROCHIMARU A QUITTÉ L'ORGANISATION.
DEPUIS LORS, LES AUTRES MEMBRES D'AKATSUKI SE SONT MIS EN ROUTE ET PARCOURENT LES RÉGIONS PAR GROUPES DE DEUX...
... À LA RECHERCHE DE TECHNIQUES... OU D'AUTRES CHOSES...

SE POURRAIT-IL QU'ILS S'INTÉRESSENT, PAR EXEMPLE, À "KYÛBI" ?
... C'EST UN POSSIBILIT QUE L'ON NE PEUT PA ÉCARTER.
CE DÉMON EST UNE SOURCE DE CHAKRA FANTASTIQUE...

KAKASHI...
... TÔT OU TARD, NARUTO SERA MENACÉ...
... C'EST SON DESTIN !!!
...
VEILLE SUR SASUKE...
IL A BESOIN D'APPRENDRE À SE SERVIR DE SON SHARINGAN, NON ?...
... D'AUTANT PLUS QU'ITACHI FAIT PARTIE DE CETTE ORGANISATION...
JE ME CHARGE DE LA FORMATION DE NARUTO JUSQU'À L'EXAMEN DE SÉLECTION DES MOYENNES CLASSES.

HAA
C'EST NARUTO, VOTRE OBJECTIF... OU PLUTÔT KYÛBI, N'EST-CE PAS ?

!
!

HH...
JE SAIS AUSSI QUE VOUS N'ÊTES PAS LES SEULS À VOUS ÊTRE MIS EN ROUTE...
HH...
... C'EST TOUTE VOTRE ORGANISATION QUI S'EST MISE EN BRANLE...
... "AKATSUKI", PAS VRAI ?
!
...!!
...?
AKATSUKI?
KISAME, JE CROIS QUE KAKASHI VA NOUS ACCOMPAGNER.
IL A SÛREMENT DES CHOSES À NOUS DIRE. DÉBARRASSE-NOUS DES 2 AUTRES !

FWOOOSH

!

SBOM

KRRRSH
QUE... QU'EST-CE QUE C'EST ?!!
STAP
RSHHHHH

!!
KONOHA GORIKI SENPÛ !! LA TORNADE HERCULÉENNE DE KONOHA !!!
SBOM
KASHHHH
QUI ES-TU ?
!

JE SUIS L'OMBRAGEUSE PANTHÈRE DE JADE DE KONOHA...
GAÏ MAITO !!!

...
MAIS
'EST-CE
IE C'EST
QUE CE
OOK...?
E N'EST
S PLUTÔT
ORNITHO-
YNQUE
DIMANCHE"
KONOHA
??

TU AURAIS TORT DE SOUS-ESTIMER CET HOMME, KISAME...

EST
EN
CHI...

PVOUF
URGH...

GLOU GLOU GLOU

IL A MIS KAKASHI DANS CET ÉTAT ?
FLASH !!!

GAÏ, FERME LES YEUX !!!
TU RISQUERAIS D'ÊTRE VICTIME DE SON SORT.

TU NE M'APPRENDS RIEN !!
J'AI DÉJÀ RÉFLÉCHI AUX MESURES À PRENDRE ET AUX MÉTHODES DE COMBATS SI JE DEVAIS AFFRONTER KAKASHI ET SON SHARINGAN.

OUVREZ LES YEUX, TOUS LES DEUX !!

SI ON AFFRONTE UN ADVERSAIRE QUI POSSÈDE UN SHARINGAN, IL SUFFIT DE NE PAS CROISER SON REGARD !!!!
IL FAUT DÉTERMINER SES MOUVEMENTS D'APRÈS SON JEU DE JAMBES.

ZUM !!!
À T'ENTENDRE, ÇA SEMBLE FACILE, MAIS...

ZUM !!!
... TU ES LE SEUL À POUVOIR RÉALISER CETTE PERFORMANCE...

PEUT-ÊTRE... IL FAUT UN CERTAIN TALENT POUR DEVINER LES INTENTIONS DE SON ADVERSAIRE EN N'OBSERVANT QUE LES PIEDS...

... MAIS JE NE VEUX PAS ENTENDRE DE PROPOS DÉFAITISTES DANS CETTE SITUATION !!!
VOUS VOUS ADAPTEREZ SUR-LE-CHAMP !!!!

...

QUE FAIT-ON ?
KURENAI ! AMÈNE KAKASHI À LA SECTION MÉDICALE !!!
ASUMA, COUVRE-MOI.
JUSQU'À CE QUE L'UNITÉ DE RENFORT DES SERVICES SECRETS QUE J'AI FORMÉE ARRIVE...
... JE SERAI VOTRE ADVERSAIRE ...!!
IL A UN CERTAIN CRAN...
KISAME... ON ARRÊTE LÀ !
!

NOUS NE SOMMES PAS VENUS POUR DÉCLENCHER UNE GUERRE.
IL SERAIT ABSURDE DE CONTINUER PLUS LONGTEMPS. NOUS RENTRONS.
... USTE UAND A COM- ENÇAIT À EVENIR TÉRES- SANT...

... QUEL DOMMAGE !!!
ZUP !

...
...
TSSS...

STAP

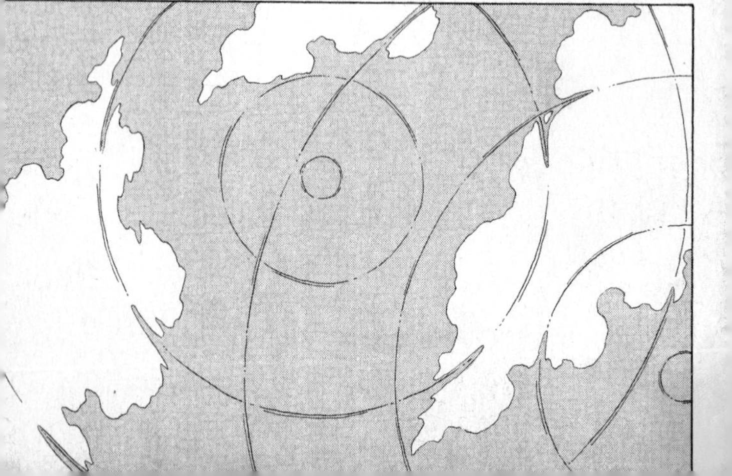

HEIN ?!!
MAIS POURQUOI, ENFIN ?!
POURQUOI DEVRAIS-JE VOUS ACCOMPAGNER DANS VOTRE VOYAGE D'INVESTIGATION ?!
CE NE SERA PAS UNE SIMPLE ENQUÊTE...
... JE SUIS À LA RECHERCHE D'UNE FEMME QUE JE SOUHAITE INTERROGER.
TAP !!! TAP !!!
JE VOIS... JE N'AI PAS DE TEMPS À CONSACRER À VOTRE QUÊTE ÉROTIQUE !
JE DOIS POURSUIVRE MON ENTRAÎNEMENT... MAÎTRE KAKASHI DOIT M'ENSEIGNER BEAUCOUP DE CHOSES... À COMMENCER PAR "LES MILLE OISEAUX" !!
MAÎTRE KAKASHI EST VRAIMENT INJUSTE AVEC MOI, CES TEMPS-CI !
NON... JE NE PENSE PAS QUE TU PUISSES APPRENDRE CETTE TECHNIQUE...
C'EST UNE VRAIE BEAUTÉ, UN BIJOU ! ÇA TE DIT DE LA RENCONTRER ?
CE N'EST PAS COMME ÇA QUE VOUS RÉUSSIREZ À ME CONVAINCRE, VIEUX PERVERS !!!
NON, C'EST NOOOON !!!!
AH ! DOMMAGE... JE CONNAIS TELLEMENT DE TECHNIQUES PLUS INTÉRESSANTES QUE "LES MILLE OISEAUX"...
JE N'AI PAS LE CHOIX... JE VAIS M'ADRESSER À SASUKE...

C'EST DÉCIDE !!!
JE VIENS !!!

JE FILE TOUT DE SUITE À LA MAISON RASSEMBLER MES AFFAIRES...
SURTOUT NE BOUGEZ PAS, M'SIEUR L'ERMITE !!!!
BADA BADA

SHINOBI

HUN HUN... OH LÀ LÀ !
N'EST-CE PAS MIGNON, ÇA ?

COOL !! JE VAIS APPRENDRE DE NOUVELLES TECHNIQUES ET EN METTRE PLEIN LA VUE À SASUKE ET MAÎTRE KAKASHI !
SAKURA VA DEVENIR FOLLE DE MOI !! C'EST GRAVE, SÛR !!

TOP !!!

C'EST PARTIIIIIIIIII !!!

HMPF...
ESHRRR...
TU T'ES UN PEU EMPORTÉ, PETIT...
JE N'AI JAMAIS DIT QU'ON PARTAIT POUR DES MOIS EN RETRAITE EN MONTAGNE...

RÉSENTATION DES ASSISTANTS
E MASASHI KISHIMOTO,
ITE
NOUVEL ASSISTANT A REJOINT MON ÉQUIPE.
MME DE COUTUME, JE TIENS À VOUS LE PRÉSENTER.
SISTANT N° 7 : AKIRA OKUBO
PROFIL :
IL EST VRAIMENT TOUT JEUNE.
UN TEINT DE BÉBÉ.
IL A UNE EXCELLENTE VUE.
IL A DES TRAITS NOIRS SOUS LES YEUX.
MÊME DANS LES SITUATIONS
LES PLUS EXALTANTES, IL RESTE IMPERTURBABLE
ET COMMENTE EN GÉNÉRAL AVEC UN
"SUPER..." DES PLUS DÉSABUSÉS.
C'EST UN PASSIONNÉ DE FOOT,
SPORT QU'IL PRATIQUE.
IL EST PLUTÔT BIEN DE SA PERSONNE.
TRAVAIL :
NOIRCISSAGE, TRAMES, DÉCORS.

144e épisode : LES POURSUIVANTS

TAP !!!
TAP !!!
DITES, MONSIE L'ERMIT PERVER !!!
ON PEUT CONNAITRE LE PROGRAMME DE MON ENTRAÎNEMENT ?
... L'ERMITE PERVERS ...
TU N'AS PAS L'AIR DE SAVOIR QUI JE SUIS, PETIT...
?
OUVRE TES ESGOURDES !

"L'ERMITE DES CRAPAUDS" N'EST QU'UNE IDENTITÉ DE COUVERTURE !!!
TU AS DEVANT TOI...
... L'UN DES TROIS NINJAS INVINCIBLES DE LA LÉGENDE DONT LA RENOMMÉE S'ÉTEND SUR TOUTES LES TERRES CONNUES, DES PLAINES GLACÉES DE L'HYPERBORÉE AUX DÉSERTS ARIDES DU SUD, DU LOINTAIN LEVANT À L'OCCIDENT OÙ SE MEURT LE SOLEIL...
L'HOMME À LA BLANCHE TOISON, SEIGNEUR DE TOUTE CHOSE BATRACIENNE ! L'APOLLON DONT LA SPLENDEUR STUPÉFIE LE COMMUN DES MORTELS !
LE NOBLE JIRAYA !!!!

144e ÉPISODE :
LES POURSUIVANTS
...
HMMM...
...
TAP! TAP!
CUI! CUI!

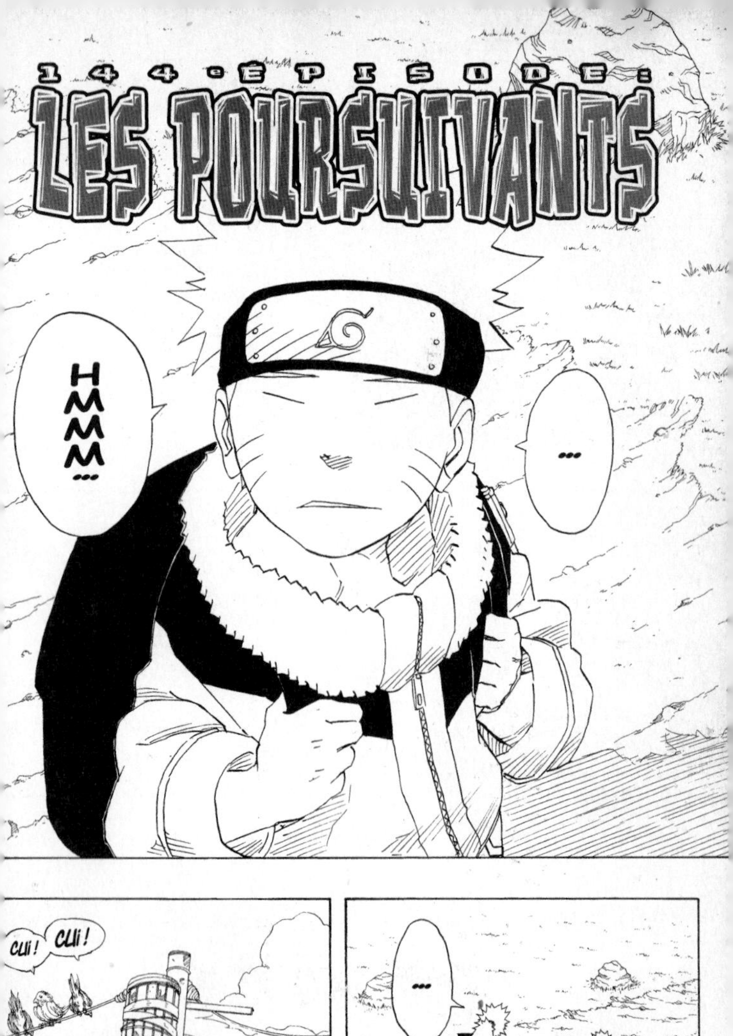

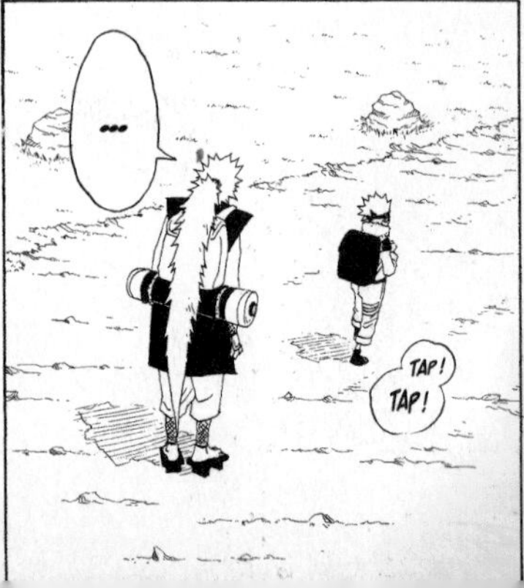

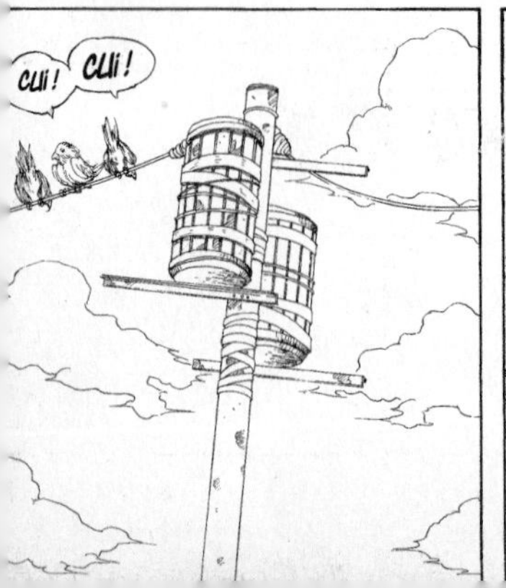

DITES-MOI PLUTÔT UNE CHOSE...
... POURQUOI UN ERMITE AUSSI "FORMIDABLE" QUE VOUS EMMÈNERAIT-IL UN GAMIN COMME MOI EN VOYAGE ?
MON NOM, C'EST JIRAYA... "JI-RA-YA" ! COMBIEN DE FOIS VAIS-JE DEVOIR TE LE RÉPÉTER...?

C'EST PARCE QUE JE REGORGE DE TALENTS CACHÉS ?
J'AI BON ?
...

ALORS ?! RÉPONDEZ !!!
"MOI" POURQUOI M'AVOIR CHOISI MOI EN PARTICULIER ?
TAP TAP
PERSONNE N'A LE NIVEAU POUR ÊTRE INITIÉ À VOS TECHNIQUES ? À PART NARUTO ?
HI HI HI !!!
...

HOKAGE LE 4e FUT MON DISCIPLE, AUTREFOIS...
... ET C'EST FOU CE QUE TU LUI RESSEMBLES...
VOILÀ... C'EST AUSSI BÊTE QUE ÇA...

MOI... JE RESSEMBLE AU HOKAGE...?

HÉ M'SIEUR ! APPRENEZ-MOI "LES MILLE OISEAUX" !!!
... MERCI, SASUKE.
TU M'AS SAUVÉE DU SABLE...
...
NON !!!
HEIN ?
...
C'EST NARUTO QUI T'A SAUVÉE.
MMH !
AH ! QUELLE MODESTIE ! ÇA TE DONNE ENCORE PLUS DE CHARME, SASUKE !
NARUTO S'EST AMÉLIORÉ, C'EST SÛR. MAIS JAMAIS, IL N'AURAIT PU VENIR À BOUT DE...
C'EST LA STRICTE VÉRITÉ !!!

IL A FRÔLE LA MORT POUR TE SAUVER...
... IL A MONTRÉ UNE PUISSANCE JAMAIS VUE CHEZ LUI !!!
...
ALORS, C'ÉTAIT NARUTO ...?
MMMH! IL VA SORTIR, C'TE SORT ?!
...
フッ
ZUP

HAA -
HA -
HAA
HAA

JE N'AI RIEN PU FAIRE...
HAA -
HAA -

TCHAC

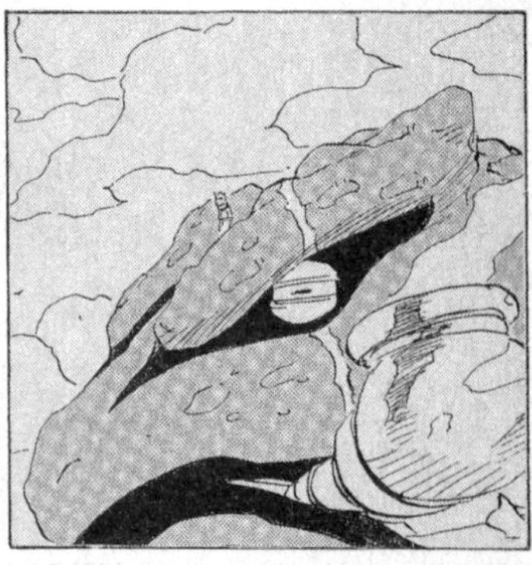

NARUTO DEVIENT CHAQUE JOUR UN PEU PLUS FORT. IL ATTEINT UN NIVEAU SURNATUREL...
... LUI QU'ON APPELAIT "LE RATÉ" À L'ACADÉMIE, IL A PROGRESSÉ JUSQU'À UN POINT VERTIGINEUX...

... QUAND ON L'OBSERVE DE PRÈS, ON SENT QU'UN POUVOIR DÉMENTIEL SOMMEILLE EN LUI...
PARFOIS, C'EST EFFRAYANT...

HAA
HAA

NARUTO UZUMAKI...
... QUI ES-TU, EN VÉRITÉ ?

COMMENT PUIS-JE DEVENIR VÉRITA-BLEMENT FORT ?

JE SUPPOSE QUE TU ES DE TAILLE À L'AFFRONTER... MOI, PAR CONTRE, JE N'EN AI AUCUNE IDÉE...
JE NE SUIS PAS UN COMBATTANT DE TON ENVERGURE.
TOI ET MOI RISQUERIONS DE MOURIR DANS UNE TELLE TENTATIVE...
AU MIEUX, NOUS POURRIONS L'EMPORTER DANS LA MORT !
MÊME À PLUSIEURS, CELA NE CHANGERAIT RIEN...

NOUS AVIONS DÉBUSQUÉ LE GOSSE DANS LE RESTAURANT DE NOUILLES. MAIS IL A FALLU QUE SON ANGE GARDIEN SOIT UN DES TROIS NINJAS DE LA LÉGENDE...
C'EST SÛR, EN FACE, MÊME UN MEMBRE DE LA FAMILLE DES UCHIWA ET L'UN DES 7 NINJAS RENÉGATS DE KIRI FONT DIFFICILEMENT LE POIDS...
OUI, MAIS...
...
... MÊME LES GUERRIERS LES PLUS FORTS CACHENT UN POINT FAIBLE...

APPAREM-MENT, CES DEUX ASSASSINS N'AVAIENT PAS ENCORE TROUVÉ NARUTO...
ILS QUITTAIENT LE VILLAGE... N'EST-CE PAS BIZARRE ?

IL EST POURTANT FACILE DE TROUVER NARUTO DANS LE VILLAGE... SANS COMPTER QU'ITACHI CONNAÎT SON VISAGE.

SHUT!!!

KLAK!!!

MAÎTRE...

!

... POURQUOI MAÎTRE KAKASHI EST-IL ENDORMI...
... ET QUE SIGNIFIE CETTE RÉUNION DE NINJAS SUPÉRIEURS ? IL S'EST PASSÉ QUELQUE CHOSE ?!
NON... RIEN EN PARTICULIER.
ALORS, C'EST VRAI QU'ITACHI EST REVENU AU VILLAGE...
... ET QU'IL EST À LA RECHERCHE DE NARUTO ...?
FWSH
ザッ

... OH!

PFFF...
IDIOT...

STAP
TOM
ドン

TAP
POURQUOI FAUT-IL QUE CELA SE PASSE COMME ÇA ?

VENT
STAP !!!
CANNE
STAP !!!
FEU
IL SERAIT REVENU AU VILLAGE ?!

ET POUR NARUTO ?!
QU'EST-CE QUE ÇA VEUT DIRE ?

KRRSHHH

ICHIRAKU
一楽
メン

QUOI QU'IL EN SOIT, SI NARUTO TOMBE ENTRE SES MAINS, IL MOURRA !!!
バサッ
STAP
!
JE NE LE LAISSERAI PAS FAIRE !!!
ÉCOUTEZ, LE GRAND-PÈRE ! NARUTO ÉTAIT LÀ CE MIDI, N'EST-CE PAS ? SAVEZ-VOUS OÙ IL EST ALLÉ ENSUITE ?!

HM... NARUT ?
OUI, IL ÉTAIT LÀ... IL EST VENU AVEC JIRAYA. ILS ONT PRIS UN BOL DE NOUILLES CHACUN.
QUANT À LEUR DESTINATION...
JE CROIS QU'ILS AVAIENT L'INTENTION DE SE RENDRE DANS LE QUARTIER DES PLAISIRS D'UNE VILLE, PAS LOIN D'ICI...
... ILS SONT REPARTIS ENSEMBLE, EN TOUT CAS...
JIRAYA?

OUI, LE GÉNIE ! UN DES NINJAS DU TRIO LÉGENDAIRE !!!
ENFIN, IL RESSEMBLE À UN VIEUX, ASSEZ MASSIF, AVEC DES CHEVEUX BLANCS !!

HE !
STAP
ダッ

UN VRAI MALOTRU...
IL AURAIT PU AU MOINS COMMANDER UN BOL, POUR MONTRER SA RECONNAISSANCE. QUELLES MANIÈRES...

AU PARADIS
JARDIN AUX PECHERS
IZAKAYA
KAZEMAKI
PRIX ÉCRASÉS !!
GIRLS
AVENUE FAN FAN
BAR
ALCOOL

CŒUR
C'EST UN ENDROIT GLAUQUE...
PWP! PWP!
NARUTO ! C'EST ICI QUE NOUS LOGERONS CE SOIR !

!

VOILÀ LA CLÉ DE NOTRE CHAMBRE !!!

TU MONTES ET TU TE PRÉPARES POUR L'ENTRAÎNEMENT. MALAXE TON CHAKRA EN ATTENDANT MON ARRIVÉE, HEIN ?

HEIN ?

C'EST POUR LES GRANDES PERSONNES, C'EST ÇA ? VOUS M'AVEZ BIEN ROULÉ ! VIEUX PERVERS !

PASH

CE N'EST PAS LOIN D'ICI...!

JE SUIS VERT DE RAGE ! C'EST TOUJOURS COMME ÇA, AVEC CE LUBRIQUE DE MALHEUR !
IL A L'INTENTION DE UPERVISER MON ENTRAÎNEMENT SÉRIEUSEMENT, UN JOUR ?

PFFF...!
IL Y A BEAUCOUP D'ÉTABLISSEMENTS ! JE N'AI PAS LE CHOIX. JE DOIS LES INSPECTER UN PAR UN.
HÔTEL
AUBERGE
HÔTEL
STAP

RÉCEPTION
!
Insipide

JE CHERCHE UN GARÇON BLOND DE MON ÂGE À PEU PRÈS, AVEC UNE TÊTE D'IDIOT, ACCOMPAGNÉ D'UN HOMME D'ÂGE MOYEN, AUX CHEVEUX BLANCS...
IL A UN PHYSIQUE IMPRESSIONNANT... S'ILS SONT ICI, ÇA DOIT BIEN VOUS DIRE QUELQUE CHOSE !

HMMM...
Insipide

JE CROIS QU'ILS SONT CHEZ NOUS... ÇA CORRESPOND ASSEZ BIEN À VOTRE DESCRIPTION.
QUELLE CHAMBRE ?!

!
TOC! TOC!

TOC !!!
TOC !!!

D'ABORD, IL M'ENVOIE CROUPIR SEUL DANS LA CHAMBRE, ENSUITE IL TAMBOURINE À LA PORTE POUR RENTRER... FAUDRAIT SAVOIR...
TAP !!!
TAP !!!
POK! POK!

KLAK!!

TOM!!!
NARUTO!!!

ビクッ
GLOUPS

... CE N'EST PAS LUI...

ÇA VA, ÇA VA !!!
IL N'EST PAS LOURD, LE TYPE !
TOC !
TOC !

VOLUME 16 LA BATAILLE DE KONOHA, DERNIER ACTE !! (FIN)

/ous aimez « Naruto » ? Ces pages sont les vôtres.
s voulez en parler ? Ces pages sont encore les vôtres.
ıs avez réalisé des dessins et vous voudriez les parta-
avec d'autres ? Ces pages sont toujours les vôtres !
Comme dans tous les autres mangas de la collection
na, les lecteurs ont la parole. Nous attendons vos lettres et vos dessins avec impatience !

Thomas Phillippini - 17 ans - Mont St Martin

Deux adresses: KANA,
15/27 rue Moussorgski - 75018 Paris - France
u 7 avenue Paul-Henri Spaak - 1060 Bruxelles - Belgique

Nguyen H. Phong - 19 ans - Bruxelles

Anaïs Delatouche - 18 ans - Lorient

Julien Mardrus - 15 ans - Aix en Provence

NARUTO

7, avenue P-H Spaak - 1060 Bruxelles
2ème édition

First published in Japan in 1999 by Shueisha Inc., Tokyo
French language translation rights in France arranged by Shueisha Inc.
Première édition Japon 1999

Dépôt légal d/2005/0086/048
ISBN 2-87129-723-1

Conception graphique : Les Travaux d'Hercule
Traduit et adapté en français par Sébastien Bigini
Adaptation graphique : Eric Montésinos

Imprimé en Italie par G. Canale & C. S.p.A. - Borgaro T.se (Torino)